U0136030

道教文化研究論集

尋道、修道、行道

張美櫻 著

蘭臺出版社

序

本書以道教的生命文化為研究主題，聚焦於道士尋道、修道、行道的生命實踐內涵，內容包含全真道仙真傳記的敘述形式探索、道教養生理念的解讀、延壽儀式經典的文本探討，最後嘗試術數的現代化應用。近年來對道教文化以生命文化為主從事研究，起源於進行博士論文文本「全真七子的證道詞」研究時，基於對全真七子生平的理解需求，閱讀了全真教的許多傳記。當時運用藍伯的皈依理論，展現全真七子的生平，探索全真七子的宗教生命，從而思索道教徒的生命追尋與生命實踐有何內涵？從而決定於論文完成後，進一步系列探索全真教傳記，希望藉由探索道教徒追尋生命不死的信仰歷程，找尋道教徒將生命投注於神仙道教信仰的意義，展現道士的生命關懷與生命實踐內涵。

從文化資產的角度看，道教文化是由道士與其信徒們建構出來的本土宗教文化瑰寶。在講究科學證據的現代社會，一般人印象中的道教始終是個充滿神祕而又迷信色彩濃厚的宗教。這個宗教過去的發展歷史繁複而多元，卻始終有著活絡的生命力，也每每在亂世中擔負起安定民心，救濟百姓的宗教使命，他的未來會如何發展？提出這個問題，隨即想到的是現代人如何相信道教的神仙信仰？道教文化對現代人有何意義？思索這個新問題時，想起了人類學學者對土著文化尊重的態度，於是省思難道古人是因為比現代人愚昧或知識不足，才相信神仙信仰的嗎？從這個提問出發，原先全真傳記的研究計劃，即在完成《金蓮正宗記》及《金蓮正宗仙源像傳》的論文後，重新調整研究步調。

全真教是個注重性命雙修和濟世功行的道派，那些傳記中的全真人所呈現出來的生命記錄是尋道、修道、行道的生命歷程。這麼單純的生命記錄，已經透露出道教為何吸引歷來的信仰者，依循道教教義與修煉方術展現他們的生命，因為這些單純的生命記錄中解決了世人生存的基本與深層的問題。

人對於生命的意義與價值的建立都有追尋的本能，環境許可時人們就將這個本能化為行動，環境不許這個本能即表現在思維上對生命提出疑問。宗教信仰是探索生命意義與價值建立的具體實踐，任何宗教都能滿足這種需求。道教則因他長生不死的神仙信仰，讓人們對於生命意義的探索與價值的建立，始終不離生命本身，因此建構出多元而豐富的生命文化。因此被道教吸引的人並非因為不知道人會死，而是人可以不死這個希望給生命的追尋者開創一條生命實踐的積極道路，而其豐富多元的生命文化又能提供人們處理生命問題或生命困境的善巧技能。

然而不死的追尋卻是一條漫長而艱辛的道路，踏上尋道之路可能源自於生命內在動力，也可能來自於生命外在的壓力，或是內外一致地指引著人向永恆之路回歸。全真教傳記的研究即在探索宗教師們的生命追尋，在這些傳記中記載了全真祖師們的修真歷程，內容展現了一個人由塵世走向修行，又因修行回到塵世完成其修行功行的程序。此一歷程是個人與社會斷裂與合和的過程，展現道教清靜無為的教義與世俗追尋的差異，也呈現道教應運濟世參與社會的宗教情懷，這些全是修道的內容。

由於《金蓮正宗記》及《金蓮正宗仙源像傳》所載仙真，多數相同，其內容依仙真行誼而編，結構本質相同，完成《金蓮正宗記》敘述結構分析後，進行《金蓮正宗仙源像傳》的敘述研究，無可避免地須面臨探討內容近似的困境，除了討論兩者之間的差異之外，由於文本本身對仙真事蹟敘述繁簡與選材的差異，因此雖然兩篇研究結構近似內容解讀主題相同，但文本內容本身有異，所以詮釋內容，似同而不同，這樣的研究或許也無意間突顯《金蓮正宗記》及《金蓮正宗仙源像傳》這兩部記載全真教五祖七真的傳記似同而不同的特質，因此在論述上也以繁簡不同的安排，表現在兩篇論文的結構上。

道的修行必須以生命為載體，生命的經營與維護又是長生不死的基礎，因此探討道教徒的修行，首先關注展現生命經營與維護的養生實踐，由於道教的養生理念源自於道教徒對於生命的體驗與體悟，內含著形神相依、身心一體的理解以及生理與心理的雙向鍛鍊。因此道教養生之學不僅體現道教身心文化，也將道教的宇宙觀內化於一己生命之中，其中具有道教的神學觀，也富道教特殊的人體認識論，更具多元龐雜的操作實踐方法，而這一切統合於道教核心義理之中，故而本書關於道士修道的探索，從養生的基礎理念進行。

仙道的修行在道教文化中，是個融合著他力與自力的生命實踐工程，養生能夠表現自力修行的特質，但道教的修行也需神明救度，除了自主地追尋、精勤修行之外，也需神仙點化，生命中不可預測的災厄更需神祇助佑。儀式的功能即在於祈神福佑，在道教儀式的進行中，處處可見神人之間的交感，符籙的使用、文檢的傳遞，無一不賴神祇襄助。而人們最關心的壽命問題，當然也能求助神祇，延壽科儀經典中，明確記載道士個人依經修奉的方法，道士也運用這些經典作為替信眾祈請神明降福從而為信眾延壽的科儀本。

道教的延壽經典是道士修道的依據，同時也是道士行道的工具，其中內涵著道教天人合一的宇宙觀，也呈現道士自度度人的修行觀，更是道士行道之法。道教延壽經典內容的討論，即在展現道士修煉與行道並行，自度也度人的修行內涵。

道教的術數文化是道士行道之具，行道的目的在於完成道士濟世度人的修煉要求，道教進入現代化社會，依然在社會中擔任協助人們解決生活或生命困境的宗教師角色。現代道士對於術數的運用，必然需要融合現代文化，吸收其他知識領域的知能，結合道教文化本身的特長，才能達成濟世度人的任務，道教術數的現代應用，即是個人思索道教修行者於現代社會，其生命意義與價值建立的可能方向。

這五篇論文是四年多來以道士的尋道、修道、行道為主軸，探討道教的生命文化成果。仙真傳記是道士自身生命的實踐記錄，內容展現了道士的生命追求與實踐歷程；養生理念則表現出道教從生命來源到生命認識與生命對待的思想觀念；延壽儀式的經典中則具體呈現他力與自力的生命救濟觀念；論命術則是對生命展開象徵性的詮解；探討道教教義融入命理諮詢開展道教術數的現代應用，乃是思索道教這個深具生命文化特長的宗教於現代社會之價值所在。

這些關於道教的生命文化的研究成果，全都曾經發表於國際學術會議中，有的會後經過審稿程序收錄於會後出版的論文集，有的則刊登於具外審制度的學報或期刊中，現今增修內文集結出版。

事實上道教文化包含多元龐大的知識系統，博士論文完成後，為了較深刻地了解道教文化，開始學習術數，陸續學習五術中醫學之外的術數以及祭解科儀。希望經由實際了解道教術數世界的過程，支援道教義理內涵的探究，通過這些術數的學習後回頭研讀道教經典，較能體悟經典文字中隱含的未傳之教。

從無意中進入道教文學的研究開始，對於道教愈接觸愈了解其文化內涵之龐大，常有「吾生也有涯，而知也無涯」的感慨，我知道這一輩子光是學就學不完。這個一直扣著人們生命追求的宗教文化，蘊涵著豐富的知識層面，也具有簡易質樸的操作心法，包含上窮碧落下黃泉的天文地理，卻也可以一掃萬塵，直指清靜無為的一點真心。現代人不一定要信仰道教，但了解道教，有助於了解自身生命。

民國一百年四月十四日　張美櫻序于佛光大學香雲居

目　次

《金蓮正宗記》的敘述結構分析

前言

全真教成立於十二世紀中葉之金代，大興於元朝。這個由王重陽創立的教派，融合了儒、釋、道三大思想文化，經過他的七大弟子——世稱「全真七子」的馬鈺、譚處端、王處一、劉處玄、丘處機、郝大通、孫不二的大力宏揚，成為當時勢力最龐大的道派。

關於全真道派的發展歷史，全真教教徒建立了完整的傳記資料，在《道藏》中可見的派傳有《金蓮正宗記》五卷、《金蓮正宗仙源像傳》一卷、《上陽子金丹大要列仙志》一卷、《七真年譜》一卷、《終南山祖庭仙真內傳》三卷、《甘水仙源錄》十卷。在總傳方面，有《歷代仙真體道通鑑續編》五卷。專傳方面則有《玄風慶會錄》、《長春真人西遊記》等。

《金蓮正宗記》為元代全真道士，樗櫟道人秦志安所編著全真五祖、七真的傳記。陳垣先生於其《南宋初河北新道教考》指出：全真教傳自鍾、呂，有五祖七真之說，五祖為東華子、鍾離權、呂純陽、劉海蟾、王重陽，七真為馬鈺、譚處端、劉處玄、丘處機、王處一、郝大通、孫不二，為《金蓮正宗記》所倡[1]。此書在道藏中，收於洞真部，譜籙類，致字號，同類的有《上清三尊譜錄》、《元始上真眾仙記》、《洞玄靈寶真靈位業圖》、《七真年譜》等，可見《金蓮正宗記》，不僅在全真教的傳承歷史中，有其特殊的意義，在道教內部的認知中，其定位不同於一般的傳記歸於記傳類，而是在資料的權威性與重要性上有著更高地位的譜籙類。

《金蓮正宗記》前有壺天真人所寫的敘文，整段敘文首論道與教之不同，指出其體用關係[2]，引出道教過往的歷

1 詳參陳垣《南宋初河北新道教考》北京：中華書局，1989年5月，頁29。

2 ＜金蓮正宗記序＞：道無終始，教有先後，或曰：道與教不同乎？曰：不同。湛寂真常，道也；傳法度人，教也。道之為體，雖經無數劫，

史，教派的興盛隨時演化[3]；接著介紹全真教的教義與教風[4]，其中以丘處機的雪山勸殺為重心，說明全真教在元代道教的代表性[5]，指出全真教的源流脈絡，明言全真教在道教發展史上，建立了前所未有的興盛教門。[6]序中明言作《金

未嘗稍變。教之為用，有時而廢，有時而興。元秦志安編《金蓮正宗記》1a，《正統道藏》第 5 冊，頁 127。後文引《金蓮正宗記》徑於文末註卷數及頁碼。

3 或曰：教之興也，自何而始？曰軒轅黃帝鑄鼎之後，乘火龍而飛升太虛，然後知有長生久視之說。雖有其說，知而行之者，七十二人而已。下逮殷王武丁之世，老君示現於瀨陽，東臨魏闕，西度流沙，演化者，九百九十六歲，乃跨白鹿，昇蒼檜，超碧落，遊王京。雖有如此顯異，而人猶顢頇，而未知信向也。及漢天師張靜應之出世也。親受正一法籙，戰鬼獄而為福庭，度道士而為祭酒，其教甚盛，化行四海，繼之以寇異杜葉，袪妖馘祟，集福禳災，佐國救民，代天行化，歷數十世，宮觀如林，帝王崇奉。及正和之後，林天師屢出神變，天子信向，法教方興，而性命之說猶為沈滯，而未之究也。

4 及炎宋之訖，籙挺生重陽再弘法教，專為性命之說，普化三州，同歸五會，以金蓮居其首，東遊海上，度者七人，以柔弱謙下為表，以清靜虛無為，內以九還七返為實，以千變萬化為權，更其名曰：全真。易其衣，而納甲。

5 逮我長春子，丘神仙，受皇帝之宣，應陰山之聘，勸之以減酒色，戒之以少殺戮，一言愷切，萬國生春，救億兆於鼎鑊刀鋸之間，人心歸向者，如百川赴海，而莫之能禦也。牧豎蕘童，咸知稽首，東夷西戎，皆詠步虛，家家談道德之風，處處講希夷之說，懶衣髽髻雲連乎道路之間，琳宇瑤壇，星布乎山澤之下，自軒轅以來，教門弘盛，未有如今日者。

6 是教也，源於東華，流於重陽，派於長春，而今而後，滔滔溢溢，未可得可知其極也。故作金蓮正宗記，時太歲辛丑平水長春壺天述。

蓮正宗記》的目的，即為教派的發展，留下歷史的見證。

當前的研究對於全真傳記的運用，著重於道教史的層面，用於作為全真發展歷史的佐證，視為建立全真派史的重要資料。對其中出身、家世、相貌性情、修行歷程等資料大多是採信的。但是對於神異敘述的內容，或略過或否定，頂多如陳垣的態度，視為傳教的方便法，並未探討其內容的宗教意義。[7]本文嘗試從宗教傳記的結構呈現此書的內容，並探討其中所蘊涵的宗教層面問題。由於《金蓮正宗記》首倡全真五祖之真之名，故由此書切入，作為研究全真傳記之開端。

根據《金蓮正宗記》敘述，在內容上可總括為出身、修行、修行結果三大主軸[8]。每一主軸之下，分別包含一至數個重點敘述內容，出身的部分，包含開場敘述、姓氏名諱、相貌性情、祖上德行等內容；修行部分則含括神奇際遇、師徒會遇、苦修歷程等內容；修行結果，則以傳主顯示神異事蹟表現為主要內容。形式上，全記以散文、引文、詩文（即最後的贊）組成。雖然上述三大結構中的八項敘

7 溫瑞瀅：《全真七子傳記及其小說化研究》，政治大學碩士論文，民國 92 年，第三章述及《金蓮正宗記》作者生平及寫作動機。

8 李師豐楙於其專著《許遜與薩守堅》中提出「出身」與「修行」為明代對宗教聖者的擬史傳化通俗小說的重要主題之一。頁 327。（台北學生書局，1997 年 3 月）。

述內容，並非具足於每篇傳記，且每項敘述內容在每篇傳記中的篇幅或多或少，卻具有五至十成的出現率。因此本文的重心即在於這些重點敘述內容的意涵分析。

一、作者簡介與書名意義

據《甘水仙源錄》記載，秦志安，字彥容，號通真子，山西陵川縣人。生於金世宗二十八年戊申年(1188)，即宋孝宗淳熙十五年，夏仁宗乾佑十九年，西遼耶律直古天禧十一年。父名略，字簡夫，自號西溪道人。金「正大（1224-1226）中，西溪下世，通真子已四十，遂致家事不問，放浪嵩少間，稍取方外書讀之，以求治心養性之要，既而於二家之學，有所疑，質諸禪子。」久之，「厭其推墮晃漾中，而無可徵詰也，去從道士遊。河南破，北歸，遇披雲老師宋公於上黨，略數語，即有契，嘆曰：『吾得歸宿之所矣。』因執弟子禮事之，且求道水藏書縱觀之。披雲為言：『喪亂之後，圖籍散落無幾，獨管岑者僅存，吾欲力紹絕業，鋟木流布，有可成之資，第未有任其責者耳！獨善其身，曷若與天下共之。』通真子再拜曰：『謹受教。』」[9]據元

[9] 詳見[元]李道謙集：《甘水仙源錄》卷 7，頁 24b-25a。這篇傳記由元好問所撰寫，亦收於《遺山先生文集》，及《道家金石略》中，此二版本文字略有出入。[金]元好問：《遺山先生文集》，《四部叢刊・正編》，第 65 冊，卷 31，頁 12a-14b。（台北：臺灣商務印書館，

好問〈通真子墓碣銘〉所載：「乃立局二十有七，役工五百有奇，通真子校書平陽玄都以總之，其于三洞四輔萬八千餘篇，補完訂正，出於其手者為多。仍增入《金蓮正宗記》、《烟霞錄》、《繹仙》、《婺仙》等傳附焉。」[10]「通真子記誦該洽，篇什敏捷，樂於提誨，不立崖岸。居玄都垂十稔，雖日課校讎，其參玄學，受章句，自遠方至者，源源不絕，他主師席者，皆竊有望洋之嘆。藏室既成之五月，謂徒眾言：『寶藏成壞，事關幽顯，冥冥之間，當有陰相者，今大緣已竟，吾其行乎！』越二十五日，夜參半，天無陰翳，忽震電風烈，大木隨拔，遽沐浴易衣，蛻形于所居之櫻櫪堂，得年五十有七。弟子李志實等以丁未年月日，奉其衣冠，寧神于天壇之麓，披雲之命也，所著《林泉集》二十卷。」[11]宋披雲幼時侍劉長生，受度於王玉陽，長生仙去，事長春於棲霞山，為元代道藏《玄都寶藏》的主持人，收秦志安為弟子，讓他閱讀自己所有的藏書，並囑附秦志安加入道藏的編修工作。宋披雲於七真之中，親

1979 年)陳垣編纂,陳智超、曾慶瑛校補:《道家金石略》,頁 486-487。(北京：文物出版社，1988 年）。

10 [金]元好問＜通真子墓誌碣銘＞，《遺山先生文集》，《四部叢刊．正編》，卷 31，頁 13a。另見陳垣編纂，陳智超、曾慶瑛校補：《道家金石略》頁 486-487。

11 詳見[金]李道謙集：《甘水仙源錄》卷 7，24b-26b，正統道藏，冊 33，頁 211。（台北：新文豐出版有限公司，民國 84 年 4 月 3 刷）。

炙於三人，從這樣的傳承中，可見秦志安對於先代祖師仙真之行誼事蹟，無論是資料的掌握或是直接由師尊口述的資料上，均有優勢。

《金蓮正宗記》的書名，由王重陽為傳道所設立的金蓮會而來，正宗二字的意義，則表明了全真嫡傳的正統意義，不以傳為名，而以記為名，或許如李師豐楙於其專著《許孫與薩守堅》中所云，將重點放在記述。[12]

二、開場及其意義

《金蓮正宗記》共有五卷，記載全真五祖七真的生平事跡，所有的篇幅均以傳主的求道、行道生涯為主軸。傳記的開始，通常依史傳的敘述模式，表明傳主的姓氏里籍，以徵信於世人。不過樗櫟道人也在開端將傳記所據的資料，直接載明，如＜正陽鍾離真人＞、＜純陽呂真人＞兩篇，即明言：「謹按廬山金泉觀記云[13]」、「謹按岳州青羊觀石壁記云」[14]。從這兩篇註明出處的傳記所用的詞彙「謹按」二字，可見編著者的心態。這種恭敬謹慎的態度，和

12 詳見李師豐楙專著：《許孫與薩守堅：鄧志謨小說研究》，台北：學生書局，1997 年 3 月，頁 327。

13 [元]秦志安編：《金蓮正宗記》卷 1，2b，正統道藏，冊 5，頁 128。下引《金蓮正宗記》記徑寫書名，卷頁，及新文豐《正統道藏》第 5 冊頁數。

14 同前註，卷 1，5b，頁 130。

史家的客觀記載，在心態上，對於筆下人物的觀感是有所不同的。史官記載歷史上的人物，是以一個旁觀者的角色，將傳主的生平編織進史冊的脈絡中；而樗櫪道人則是以道門後人，記載道門祖師們的神聖過往，下筆謹慎是對祖師們的恭敬。在這恭敬的心態之下，敘述者的角色不是一個記載他人生命歷程的旁觀者，而是一個道門傳承脈絡中的繼承者、一個道學生命的信仰者。然而這個繼承者與信仰者，同時也肩負將道門聖蹟傳遞給門外之人一窺門內究裏的責任，若失去了相當程度的客觀性，則又無法得信於非道門中人。這時敬謹的態度，有助於達成徵信於世人的目的，又不違道門傳承任務的繼承要求。這樣敬謹的態度，在傳記的開端可以看出：

> 帝君姓王氏，字玄甫，道號東華子。（＜東華帝君＞1：1a）
>
> 曾祖諱朴，祖諱守道，父諱源，當後漢末年，皆據要津，有功於國，世濟其美，先生諱權，字雲房號正陽子，京兆咸陽人也。（＜正陽鍾離真人＞1：2b）
>
> 曾祖諱景仕，至翰林學士，金紫光祿大夫，祖諱獻，位至河南府尹，父諱渭，禮部尚書，先生諱嵒，字洞賓，蒲州蒲板水樂人也。（＜純陽呂真

人＞1：5b-6a）

先生姓劉，諱操，字宗成，號海蟾公，燕山人也。

（＜劉海蟾真人＞1：9a）

先生諱中孚，字久卿，家世咸陽最為右族。

（＜重陽王真人＞2：1a）

先生諱德瑾，秦州甘泉人也。

（＜玉蟾和真人＞2：10a）

先生之名，誤忘之矣，道號曰靈陽子，京兆終南人也。（＜靈陽李真人＞2：12n-13a）

先生寧海人也，號丹陽子，祖諱覺，字華叟。……父諱師揚，字希賢。

（＜丹陽馬真人＞3：1a-b）

先生諱玉，字伯玉，譚其姓也。世居寧海。

（＜長真譚真人＞3：1a-b）

東萊長生真人，卯金右族。

（＜長生劉真人＞4：3a）

真人，諱處機，字通密，號曰長春子，家世棲霞，最為右族。（＜長春丘真人＞4：7a）

先生諱處一，號曰玉陽子，王其姓也，家居寧海之東。（＜玉陽王真人＞5：1a）

先生諱璘，號恬然子，自稱太古道人，家世寧海，

歷代遊宦。（<廣寧郝真人>5：6a）

仙姑者，孫忠翊之幼女也。家世寧海。（<清靜散人>5：9a）

從上列生平家世的記載可見，作者藉由基本資料的呈現，給予讀者客觀的印象，能詳列父祖名諱即詳列父祖名諱，未能詳列父祖名諱，也見強調家世。這樣的敘述筆法固然承繼史傳，其作用不外乎表現資料的可信度，用以說服閱讀者認同，因為這些出自地方世家的仙真們，在地方上都是有名有姓，容易查考得證的，而這些真實存在於人間的修行者，經過了修行的實踐之後，全部都得道成仙了。由此可證仙人真有，神仙可學。至於無法詳列其家世資料的，如靈陽子和玉蟾也按實言明，忘其名諱，只記鄉里，以示真誠無偽之態度。可見，身為一個道門的傳承者，秦志安在紀錄祖師們的道蹟時，誠信是其下筆的主要原則。

其次從忘其名諱這個用詞，也看出編者的資料來源，雖來自於教派內部的記載，仍謹慎處理的態度。教派中對於先人的名諱不可能生疏到不知名諱，而是口述者忘其名諱，記錄者依口述者陳述作為文字，成為教內文獻，秦志安則忠實的呈現此一資料的客觀性，同時也展現出身為道門傳承者對於教派內部資料的認同感。

三、相貌性情的敘述及其意義

《金蓮正宗記》在傳主的姓名、道號、里籍、家世之後的敘述，通常是傳主的相貌和性情。這方面的敘述，著重於奇相與慕道的心性。如東華帝君的「生有奇表，幼慕玄風」（1:1a）；鍾離權的「髯過臍下，目有神光」；呂純陽「龍姿鳳目、鬢眉疏秀、美鬚髯，金水之相」（1:6a）；劉海蟾「好談性命之說」（1:9a）；王重陽「骨木雄壯，氣象渾厚，眼大於口，髯過於腹，聲如鐘，面如玉，清風飄飄，紫氣鬱鬱，有湖海之相」（2:1a）；玉蟾真人「才能高拔，器識高遠，玄資霞映，妙質雲停……清懷淡泊，以道為心，未嘗取非義之財」（2:10a-b）；靈陽子「沈默寡言，聰敏超世，學問該博，識量弘深，道德留心，利名絕念。」（2:13a）丘處機「敏而強記，博學高才，眉宇閑曠……足下有龜紋，酷慕玄風，非長生久視之說不道。」（4:7a）王玉陽「體貌魁梧，為兒童時，不雜嬉戲，好誦雲霞方外之語。」（5:1a）郝大通資質豐美，不慕榮仕，深躬卜筮之數。（5:6a）

也有敘述奇異的出生瑞象的，如馬丹陽的母親產前夢見進謁麻姑，得賜仙丹一粒，吞下去後，才生下他。生時體色如火，七天才消，手握雙拳，百日才舒展。兒時常誦乘雲駕鶴之詩，夢中履從道士登天。（3:2a）孫不二母「夢

七鶴舞於庭中，一鶴獨入於懷，覺而有娠」……「性甚聰慧，在閨房中，禮法嚴謹。」（5:9a）

這類的敘述內容，呈現了道教仙緣、仙骨的思想觀念，神仙雖然可習而得之，但普天之下，卻少有人懂得修習追求，而懂得修習的人，自是與仙道有緣、與俗人有異的。

仙俗的差異，可以從相貌上辨別出來，是自來仙傳的敘述傳統中，常見的敘述內容，在現今可見最早的仙傳——《列仙傳》中也記載著桂父「色黑而時白」的異相。[15]異相的記載，一方面可以表現傳主選擇修行成仙為人生道路的當然結果；另一方面則表現出修行有成的仙人與凡人，明顯地在外貌上有所不同，用以證明神仙難得、但神仙可得的道理，藉由人們可以在外貌上分辨出仙凡的不同，說明世上真有神仙存在，以此推助神仙信仰的傳播。因此仙傳的敘述，歷來有此傳統，《金蓮正宗記》的敘述，也承繼這種傳統。

除此之外，透過相貌具體的形繪，還可以讓閱讀者經由文字的滲透，清楚地想像傳主的形貌，從而深化印象、強化認同感，藉由這種認同的感情，轉化為對其修道生命的認同。

不過相貌上的特異非人人皆有，若一味強調奇相異

15 王叔岷：《列仙傳校箋》台北：中研院文哲所，民國 84 年，頁 73。

貌，對於相貌平凡的人而言，反而產生非我同類的距離感，縱使羨慕，回過頭來，想想平凡的自己沒有仙骨，如何能夠求道得仙？相對比較之下，對仙真心性的描述，則表現出內在心理對道的嚮往與追求，也是一個人能夠得道成仙的因素。沒有仙骨的人，有心追求，一樣可以感得仙緣，所以在《金蓮正宗記》的敘述中，都有對傳主心性契道的描述。

道是人人可求的，而仙真的傳記，則是以實際的範例，告訴世人，什麼樣的人可以修練成仙。有奇骨異相的人，不要辜負了自己的好資質，異相敘述的作用在此，但沒有仙骨的人也不要斷了向道之心，在傳主心性的敘述上，充分表明了有心嚮慕的人，一樣可以透過專心致志的修行，證成得道，而這些心性的敘述，同時也塑造淡泊高遠、器識卓越的仙真形象。

四、祖上德行及其意義

《金蓮正宗記》在敘述仙真的家世時，也會交代傳主的祖上德行，如：馬鈺的祖父「為人信義，言無宿諾，」並提及其贈貞婦棺槨之費而不過姓名，被盜賊劫財而不揭其罪，見鄰婦竊米而隱其身，其父得橫財而不取這些嘉善的事蹟（3:1a-b）；譚處端出自「孝義傳家之庭」（4:1a）；

劉處玄祖父「好積陰德，樂推恩，恤寒餒」捐田為龍、興建廟宇」，種下了好福根，因此：「天不負仁，自紅霞丹景中，選擇其仙材之精明者，降瑞於掖城。」[16]

這些敘述內容，彰顯了道教的承負觀念。積善之家必有餘慶，在劉處玄的傳記裏，作者明白指出這個事實。其作用不外鼓勵人們為子孫作福，多行善事，縱使眼前自身未得利益，然而天不負人，將會賜予好子孫給予行善的家門。具仙質的人，修行得道是比常人容易的，而上天下賜這樣的子孫給這個家門，當然是藉由子孫的得道，福蔭祖上，這是一人得道雞犬昇天的翻版，以此鼓勵世人多行善事，同樣的在以孝道為普世價值的社會之下，也具有鼓勵世人精勤修道，彰顯先祖之德，榮耀門庭更進而透過一己的成道，達到拔度祖先的功效。

《金蓮正宗記》對於仙真祖上德行的敘述，除了呈現道教承負的觀念之外，也表現出佛教以修行拔度祖先以及儒家行善彰顯祖先的孝道思想，這是全真道儒釋道三教合一的教義特質。

五、神奇際遇及其意義

神奇事物是人與仙真最明顯的差異，通常也是人走向

---

16 [元]秦志安《金蓮正宗記》，卷 4，3b，頁 148。

修道之路的開端，遭逢神奇之事在《金蓮正宗記》所載的傳主中，除了靈陽子外，其餘均有神祕經驗的記載。東華帝君因「白雲上真見而愛之，視為天上謫仙，引之入山，授與道法」（1:1a）；鍾離權征討失利，逃於亂山中，遇老者而進東華帝君別業（1:6a）；呂洞賓遊廬山，遇鍾離權（1:6a）；王重陽甘河橋上遇二道者（2:1b）；和玉蟾遇道人死，葬之，道人子至，發棺而不見骸骨（2:10b-11a）；馬鈺夢中屢從道士登天，曾有待宰的豬隻到夢中向他求援（3:4b）；劉處玄因於壁中人所不能及之處，見頌詞疑為神物所化而成（4:4a）；丘處機遇善相者，預言必為帝王師（4:7a）；王處一七歲遇東華教主授以長生久視之訣，十四歲又遇玄庭宮主言必為玄門大宗師（5:1a）；郝大通兩度遇神人（5:6a-b）；孫不二鎖王重陽百日，見王重陽容色益佳，才純信重陽（5:9a-b）。

神奇際遇，對一般人而言是種神祕經驗。在《金蓮正宗記》的敘述結構中，神祕經驗，通常連結著傳道、授道、修道的後續發展。可以說經過了一段神奇際遇，改變了仙真的生活形態及生命意義，這些意料之外的神祕經驗，成為修道者走向成仙之路的催化劑。

何以神奇際遇具有催化修仙的作用？神祕經驗容易把人在現實世界中理性認識的權威鬆動了。由經驗而來的認知，是人對於事物的認知最直接的方式，對於世界的建構，也由此認識經驗而來。在經驗理則之中的事物為合理，超出經驗理則之外的事物為虛妄。這是一般人對現實世界中各種事件的判斷標準，以此標準組成秩序井然的現實世界。人們透過認知的判斷，自然地排除了許多非普遍經驗的事物，並將思考的空間及生命的場域，局限於有限的普遍經驗世界中。

神祕經驗，同樣地以經驗認識的方式，擊破人們對普遍經驗的絕對界線。以一種感知的方式，挑戰普遍經驗所建構出來的理性世界，將人的思考在絕對理性權威中提拔而出，鬆動原本的思考與認知方式，同時對於原本的價值意義也重新有了省思的空間。在宗教皈依的催化上，神祕經驗的體驗與感應效果往往是最顯著的。

就馬鈺的夢境而言，夢在現實世界中，被人們視為虛幻不實，但虛幻不實的夢，仍會影響人的思考與感悟。莊周因夢蝶而對生命的意義有所省思，馬鈺夢中與道士登天，而在實際生活中，也常頌乘雲駕鶴之語，顯然並未把夢境當作虛妄，而將夢境視為一種提示；二豬夢中求助，翌日即得到證實。可見，夢，就馬鈺而言，是一種訊息而非虛妄，這個訊息，在他的生命中產生了實質的作用，因為與道士登天的夢強化了他尋道的意志，二豬求助的夢讓他感悟輪迴教義之真，更堅定他的信仰。

劉處玄於不可能處見頌詞，以為是神物所化而成，顯示在他的思想中，原本就把超自然現象視為實有，被他視為神物所化的頌詞，則加強了他對追尋此超越世界的動機。

丘處機遇善相者的預言和王處一遇玄庭宮主的斷言，均加強他們追尋大道的決心。所以丘處機以十九之齡遇重陽即拜為師尊；王處一更是自此以後語言放曠，不與世合，行止顛狂，即以違世逆俗的行止，明顯表達與世俗區隔的心意，邁向成為玄門宗師的生命之路。

孫不二則在實際體驗了王重陽的神異之後，信服重陽之教。《金蓮正宗記》以「純信」二字，強調孫不二在神祕經驗之前與之後的態度，正可看出此神祕經驗的催化強度。有了切身的神祕體認之後，原先在普遍經驗的理性判斷下，對修道產生的種種疑慮，全然消失，純然信奉的皈依自然產生。

丘處機十九歲即棄俗學道，隱居棲霞洞，本就有煙霞之志，渴望追尋超越的生命，遇王重陽讓他尋求超越生命，追求自我實現的證道生命有進一步的發展。郝大通與王重陽初遇時的言語對答，表現的則是意識狀態的改變。「回頭」指的是在擾攘無窮的世俗牽絆中，悟出生命的真諦，放棄俗世的塵累，回頭找回生命本源。像郝大通這樣在奉道修行之後的神奇際遇，作用在於精進修煉，而非尋道的引發。可見神奇的際遇不是只有初入道門時發揮作用，遇神人的神祕經驗，能促進其修行進程，對其修行有所突破，在悟道的境界上有所啟發，東華帝君、鍾離權、呂洞賓三者屬於此類。

譚處端為風痺所苦，纏綿不得其解，顯現出疾病所引發而起的痛苦，加深了現實生活的侷限性體會。經常面對病痛的折磨，等於經常面臨死亡的壓力，強烈感到生命有限時，自然對於生命的真義，比常人有更強烈的追問與尋求。加上現實生活中，醫藥無法解決他的病痛問題，使他將解脫的方向朝超越的宗教世界尋求，聽聞王重陽在馬鈺處，立即扶杖往謁，表現出他對超越的渴望。王重陽只是與他談話，第二天清晨，他就發現舊疾頓癒了，因此把重陽視為異人，而後拋棄家產，乞侍左右，終生不退。這無疑是與重陽共敘而後即能四體輕健，奔走如飛的神祕經驗，促使他對於道的追尋，有更進一步的積極作為。

六、師徒會遇及其意義

神奇際遇的作用，除了引領進入修行之門或精進修行之外，大多數的傳記中也常被刻劃成師徒相遇的過程。這一個過程，展現出傳道者與受道者相會逢遇的意義。當鍾離權來到東華帝君別業前，二個青衣告訴他：「吾師候君久矣。」[17]鍾離權自行訪謁劉海蟾，以錢上疊十雞卵讓他感

[17] [元]秦志安：《金蓮正宗記》卷1，3b，頁129。

悟（1:9b）。王重陽於甘河遇二仙，示現七朵金蓮（2:1b-2a），乃至王重陽之度化全真七子的過程，都呈現了道教的密傳、與講究緣契的特色。

值得注意的是，在全真教的傳承中，以詩文傳授修真祕訣，是授徒的重要方式，所以在《金蓮正宗記》的敘述中，有許多詩文的引用。這些詩文，或明修真之志，或言修行訣要，特別是在王重陽與全真七子之間這種授詩的情形更為顯著。這些詩文的內容，從大的修行原則，到實際練氣的細則都有。王重陽本身於醴泉縣所遇的道人，傳授五篇祕語，待重陽領悟後，戒之曰：「天機不可輕泄」令投於火中（2:2b），也和道教的祕傳系統與講究機緣的傳承觀有關。

王重陽之所以攜鐵罐、拄杖東行，由陝西跋涉到山東，始於甘河遇仙時二仙的指點及醴泉遇道人的催促：

> ……既畢，指東方曰：「汝何不觀之。」先生回首而望，道者曰：「何見？」
> 曰：「見七朵金蓮結子」……道者曰：「速往東海，丘劉譚中有一俊馬可以擒之。」[18]

這是典型的仙人點化過程，說明了重陽東向傳道的動

18 [元]秦志安：《金蓮正宗記》卷 1，2a-b，頁 134。

機在於仙人的吩咐，從重陽與所遇的仙人與道者之間的相互關係上看，很明顯的二仙和道者都是傳道與重陽者。重陽在＜玉女搖仙珮＞一詞中記錄了這兩番奇遇：

> 終南一遇，醴邑東逢，兩次凡心蒙滌，便話修持、重談調攝，莫使暗魔偷適。養氣全神寂。稟逍遙自在，閑閑遊歷。覽清淨，常行穴道，應用刀圭、節要開劈。三田會明靈，結作般般，光輝是勣。先向天涯海畔，訪友尋朋，得箇知音成員。直待恁時，將相同步，處處嬉嬉尋覓。
>
> 暗裏閒閒橄。覷你為作，如何鋒鏑。會舉箭、張弓對敵。百邪千魅，戰迴純晳。無愁慼，方堪教可傳端。[19]

重陽自言：受點化之後，修持有成，於是向天涯海畔，訪友尋朋，得個知音成員。經過一番尋覓之後，找到傳承的對象後，仍經過一段時期的觀察，才予以傳道，觀察的目的，自然是確定緣契的相合。

經此兩回指點，重陽向東傳道，突顯了道脈傳承的意義。重陽詞作＜滿庭芳＞即將此一道脈傳承勾勒鮮明：

> 汝奉全真，繼分五祖，略將宗派稱揚。老君金口，

---

19 唐圭璋編：《全金元詞》（北京：中華書局，1979 年，頁 165）。

親傳與西王聖母，賜東華教主，東華降，鍾離承當。傳玄理，富春劉相，呂祖悟黃粱。

登仙弘誓願，行緣甘水，復度重陽。過山東，直至東洋。見七朵金蓮出水，

丘劉譚馬郝孫王。吾門弟，天元慶會，萬朵玉蓮芳。[20]

（《全金元詞》，頁 266）

從重陽傳道的動機看重陽傳道的策略，益加能突顯緣契在道教道法傳承上的特殊性質。在重陽心中早有傳承的對象，因此他能妥善地營造度化的氛圍，讓受度者在適度的引導之下，啟悟他們宿有的慧具，讓本有的道性撥除世俗習染的遮蔽，與度化者所傳之道相契。

在金源璹的＜終南山神仙重陽真人全真教祖碑＞中記載，重陽自言「我東方有緣爾」[21]；《金蓮正宗記》述重陽觀王處一骨格非凡，而收以為徒。這些記載都呈現了著重仙緣與仙契的道教神學觀。在強調機緣的傳承觀念之下，全真教的傳道過程中，特別著重經營適當環境，使受度者有所觸發，待受度者透過思考對於所處的情境有深一層的體會，傳道者再進而提出關鍵性的點撥，讓受度者幡然徹

20 唐圭璋編：《全金元詞》（北京：中華書局，1979 年，頁 266）。

21 [元]李道謙：《甘水仙源錄》，《正統道藏》第 5 冊。

悟。

鍾離權的累卵是如此，王重陽在度化馬鈺夫婦時，先顯以神異，使二人震服，也是如此。因馬孫二人當時信服重陽為有道之人，但未能將生命交付，全心步上尋道的旅程。王重陽分梨、芋、栗與二人共食，即暗示二人及早省悟──「道」為生命的最終依歸。也希望他們及早分離，斷絕家累，喻示求道需趁早等觀念，讓馬鈺斷絕家恩親情（3:5a-b）。重陽以入夢的方式，對孫不二顯化天堂地獄之別（5:9b），同樣是宗教氛圍的營造技巧，主要目的仍是希望孫不二因夢中的經驗，對生命有所省思，領悟輪迴不斷的生命是無盡的磨難，跳脫輪迴，證成大道才是究竟。

這種著重「緣」與「契」的觀念，是道教在勸化技巧上最為殊勝之處，其意義在表現傳道者與受度者之間，是種雙向交流的互動關係，而非絕對的傳授與接收的單向教導。受度者本身，透過自我的體會感觸，在性靈上有所自覺，始能默契於傳道者所告知的訊息。只有默契於傳道者所授與的真義當下，受度者才能真正領會傳道者所傳之道。也唯有透過這一層領會與契認，才能讓一個人，重新定位在慣習的世俗生活中所營建起來的恩情愛戀，進而出自於自覺地在現實與終極之間做出智慧的抉擇。

這一默契與抉擇的歷程，在全真七子與王重陽會遇的過程中，有著非常明確的線索。在與馬鈺初見的場景中，王重陽以「扶醉人」一語，契會馬鈺日前所賦之詩，在馬鈺心中留下深刻的迴響（3:4b）。這一默契更在分梨十化的過程中，雙方以詩詞應對的方式，作更深的交流與互動。因此馬鈺於分梨十化之後，即隨重陽出家入道。由於王重陽多以詩詞度化弟子，於是建立了全真教徒習以詩文互動的傳統。這和王重陽出自「以財雄鄉里」的大富豪之家，系籍於京兆府學的儒士身分，以及善文墨的才能有關。以此，東來山東，首先度化的對象，是和他同樣出自富室而業儒的馬鈺。而他的度化策略——採詩詞贈答的方式——自然也和他儒士背景相關。因此在《金蓮正宗記》自王重陽以下的傳記，多有詩文的載錄，這些詩文正可以表現史料的真實與客觀性。

劉處玄、郝大通與重陽的會遇，同樣也是緣契的重合。重陽先在壁上顯神跡以吸引劉處玄的注意。就劉處玄而言，他早有「辭故山欲訪異人」的心願，卻因母親的不捨而未能如願，然而訪異人以求更精進於道的心念，一直在他心中蘊釀著，所以壁中「武官養性真仙地，須有長生不死人」（4:4a）二句能讓他深契領會。這時的領會，自然是初步的領會，更加強了他尋異人的心念，直至會見重陽之後，經由重陽提點，方悟其頌。這時的悟，才是徹底的悟，所以鏤肝薦誠，刻骨效盟地師事重陽。郝大通則同樣以重陽一句「只恐先生不肯回頭」（6:5b）而驚悟，透過閒話往來的問答如投石的會契，讓他得意而歸。

重陽與譚處端之間的會遇，起於處端苦於風痺之疾，求治於重陽居所。重陽初不接納，處端「堅守終夕，剝啄不已」，直至「門忽自開，重陽大悅以為仙緣所契。」（4:1a）在重陽與處端會遇之時，「仙緣所契」代表的意義，是傳道者和受道者之間的契會同時俱備，所以當重陽以為時機成熟，可以接納處端後，召之同衾而寢，立時能夠「談話親密過於故交」。這師徒之間契會的萌發，一方面是基於仙緣，同時也由於重陽欲度還拒的策略，讓譚處端能在這一過程中，有更深層的謁見心志，才能在會見之後有所徹悟。

在道教的傳承傳統中，傳道是道人的天生使命，然而道法的傳承有嚴格的限制，非其人而傳，非其時而傳都是犯戒的，何時傳何人，講究的就是「機緣」二字，時機成熟時傳給宿有仙緣者，才不負道法。

七、苦修歷程及其意義

師父領進門，修行在各人。《金蓮正宗記》的敘述，在師徒會遇之後，多半進入個人修行階段。這一部分的內容，可分為前後兩個階段，以王重陽為界。在王重陽之前，東華帝君得白雲上真授以道法後，三年精修，又退居煙霞洞，結庵自居，韜光晦跡百餘年（1:1a）；鍾離權得東華帝君之教，下山積行救人（1:4a）；呂洞賓受教後，隱於市廛救疾苦（1:7a）劉海蟾遁跡於終南山（1:10a）；和玉蟾、靈陽子的修行也都只是簡單的帶過。

然而從王重陽傳起，傳記的開端，提到了傳主的苦修歷程。但在王重陽的苦修內容上，尚未多加筆墨，僅以「落魄不羈，乞食於市，短簑破瓢，眠冰臥雪。」[22]數句形容，而王重陽之下的全真七子，都有段苦修的敘述，同時在苦修之前，必先述及出家。

宗教不是議論，而是體驗的事實，特別是王重陽融合儒釋道三教之義，所闡述的修行要旨及精義，不但在心性的鍛鍊上強調「了性體悟」，也注重內丹真氣的煉養，從性命雙修的進路經營宗教生活。內丹的煉養，乃是透過呼吸吐納等氣功的操作，讓人體體內的機能發揮到最極至，引發大能量，是生理操作和心理訓練同時進行的活動。王重陽於其《立教十五論》中首先強調的，即為此一身心調和的問題：

> 凡出家者，先須投庵，庵者舍也。一身依倚，身有依倚，心漸得安，氣神和暢，入道真矣。凡有動作，不可過勞，過勞則損氣，不可不動，不動

22 [元]秦志安編：《金蓮正宗記》卷 2，2a，頁 134。

> 則氣血凝滯，須要動靜得其中，然後可以守常安分，此是住安之法。[23]

在身心調和的前提下，「逆則成仙」的修練方法，才有可依的載器。尋道生涯，有別於一般世俗生活，所以出家是修行的第一步。出家的作用，在於透過環境的隔離效果，以脫離現實的空間與環境之方式，阻隔世俗活動中的種種牽扯。這種隔離，同時也是心境上的隔離，即以出家的動作，斬斷親情的牽掛。然而出家並不代表人身不需依靠，而是對世俗關係的斷絕。出家之後首先要做的事，是替身體找到依靠的場所，身有所依，心才能漸得安寧。可見出家雖是以決絕的態度斬去俗緣，從宗教追尋的過程而言，卻只是個起步，因為斬去了俗緣不代表了無牽掛，身是離了紛擾塵世，心卻還未有依歸，唯有身得適當的安頓，心才能漸安，而安頓的方式自然是宗教的修行生活。

馬鈺曾對其徒在修行上有一番懇切訓誡，《丹陽真人語錄》記載如下　：

> 師曰：「晝夜十二箇時中，天道運行，斡旋造化，還有頃刻停息否？」門人對曰：「無停息」。師曰：「凡學道之人，切須法天之道，斡旋己身

---

[23] [金]王嚞著：《正統道藏・重陽立教十五論》1a，第 54 冊，頁 237。

中造化，十二時中，常清淨，不起纖毫塵念，則方是修行。」[24]

行住坐臥都是行道，如此密實的修行生活，其目的，不外是要排除在世俗中所習染來的一切俗念。

人類想要掌控自己的思維，進而讓思緒在任何時刻都符合超越向上的要求，當然是件鉅大的改造工程，需要時時刻刻在心上用心，自然不堪俗事一再干擾，因此出家是斷絕干擾的方式，只有讓心靈與生活留下空間，控制思維的工作才能進行。

由凡俗超拔到神聖，必定要經過這種「思維改造」的過程，宗教生活本身就是改造的方式，而這個工作除了自己，沒有他人可替代，馬鈺的另一段話這麼說：

諸公休起心動念，疾搜性命，但能澄心遣欲，便是神仙。別休認，休生疑，此是端真實語。惟要常清淨，勉力行之，但悟萬屢假，自心證，欲自遣，性自停，命自住，丹自結，仙自做，他人不能替，得自家做修行。

[24] [金]馬鈺著：《正統道藏・丹陽真人語錄》14b-15a，第 40 冊，頁 16。此言亦見於《丹陽真人直言》，字有微異，掇錄如下：師父言曰：「十二時辰天地運行，斡旋造化，還有息否，凡行道之人須象天之道，亦要十二時中無暫停住，自己斡旋造化，常要清淨，莫起纖毫塵念，乃是修行。（《正統道藏・丹陽真人直言》1b，第 54 冊，頁 241）。

各各用力，休太急，常逍遙自在，弟子若不是，師父說破，不能認此為妙法。[25]

於此正可說明，何以全真七子在經過王重陽的點化傳授之後，或隨重陽修行（丘劉譚馬），或自行參玄（孫不二），或師兄弟同悟（郝、王），最後仍有一段絕俗苦修的階段。這一階段所參悟的，正是師者所不能言，須弟子真修實參，若非弟子自悟，說破了也不能讓弟子體認的玄要妙法。

丘、劉、譚、馬守重陽墓廬後，各依其心志，尋一修行處所，專心致志以精窮內事。這一階段自然是將重陽所授之法，更進一步地體會精研，以求真正的領會，使道行更加精進，而他們所採行的精進方式，全是苦修。

馬鈺在劉蔣村守喪六年，而後十三年間，「服不衣絹，手不拈錢，夜則露宿。」而實際的苦修內容為：「早晨則一碗粥，午間一鉢麵，過此以往，果茹不經口。」[26]「冬夏披一布懶衣，食粗取足，隆冬雪寒，庵中無火，兼時用冷水。」[27]這是將生活所需降到最低的程度。馬鈺自言：「予在終南，居環堵，跣腿赤腳，並無火燭相，僅六年矣。」[28]

---

25 [金]馬鈺著：《正統道藏．丹陽真人語錄》14b-15a，第 40 冊，頁 16。

26 [金]馬鈺著：《正統道藏．丹陽真人語錄》4a，第 40 冊，頁 10。

27 [金]馬鈺著：《正統道藏．丹陽真人語錄》7b，第 40 冊，頁 12。

28 [金]馬鈺著：《正統道藏．洞玄金玉集》卷 8，15b，第 43 冊，頁 280。

如此苦修的目的，不外是在克制心性，以成其鬥貧的心志，所以他對門人說：「道人不厭貧，貧乃養生之本，飢則餐一鉢粥，睡來鋪一束草，襤襤褸褸，以度朝夕，正是道人活計。」[29]

譚處端和劉處玄同在市井之間鍊養心性。譚處端被拳擊至齒折血流，卻和血咽入腹中；託宿於紅塵之間，練就心如土木，未嘗動念的功夫。這採取的是直接面對欲望誘惑的方式，來堅定其認可的超越價值。

劉處玄「鍊性於塵埃混合之中，養素於市鄽雜沓之聚，而心灰為之益寒，形木為之不春。人饋則食，不饋則殊無慍色，終日純純。」（4:5a）被誣告也不作辯解，束手就縛，安然坐牢。和譚處端同樣，也採的是隨緣順事、和光同塵的歷練心態，在生命的每一個時辰中，鍛鍊心志。

王處一在雲光洞中，「偏翹一足獨立九年，未嘗昏睡，夏迎陽立，冬抱雪眠」（5:2b）王處一如此苦修的原因，在段志堅《清和真人北遊語錄》中有珍貴的記載：

> 玉陽大師，自居家時不知慾事，出家不漏，後在鐵楂山，忽一夕有漏，哭泣至慟，意欲食之，感諸天地以布沖和之氣，後三日，乃得心地，此後方是千磨百鍊，曾於沙石中，跪而不起，其膝磨

---

29 [金]馬鈺著：《正統道藏‧洞玄金玉集》卷 8，15b，第 43 冊，頁 280。

> 爛至骨，山多礪石荊棘，赤腳往來於其中，故世號鐵腳。[30]

從上引文可知，七真的苦修，在性功上用力的同時，也在命功上有所鍛鍊。一個凡人要超越有限追尋無限，所要克服的是天生自然的各種生理侷限。但這一項任務是非常艱鉅的，這種逆反自然的修行，每一時分、每一動念都必須面臨自然的挑戰。以王玉陽為例，七歲有奇遇，十四歲已有堅定的求道信念，從不知慾事，出家後更是修行有功。在鐵楂山的修行，是他更進一步精進的階段，而在這鍛鍊的過程中，他卻漏失了命功的修鍊成果。因為有這一次的考驗，使他益加苦修參悟。

郝大通在沃州橋下，「默默靜坐，饑渴不求，寒暑不變，人饋則食，不饋則否，雖有侮狎戲笑者，不怒也，志在忘形」（5:7a）。如此苦修三年，想去除的即是習以為常的榮辱、饑渴等生命中最外在的形式。孫不二不以「穿雲度月，臥雪眠霜」，不以「毀敗容色」（5:10a）為苦，所鍛鍊的仍舊是身心的堅忍度。

丘處機於王重陽仙逝之後，乞食於磻溪，戰睡魔，除雜念，前後七年，「脇不占席，一簑一笠，寒暑不變」

---

30 [元]段志堅著：《正統道藏‧清和真人北遊語錄》卷 3，11b-12a，第 55 冊，頁 750。

（4:7b-8a），這段期間的身心養煉基礎，讓他日後能以七十高齡北度沙漠，赴雪山向成吉思汗宣道。

經過這一階段的苦修真功後，在心性上才能真正領會離塵去欲，識心見性的真境地。此時所參悟的道，才算圓通，也才算達到十二個時辰專心在修道的要求，有這一番苦修的工夫，才能布道，馬鈺即明言：

> 或十二時辰中，未有一個時辰專心在道，將來怎得了達，受十方施主供養。[31]

必須有如此的修行，才可勝任度化他人的工作，因此絕俗苦修的階段，在全真七子的傳記中，都有記載，用以表現出七子悟道過程中真功修行的一面。

至於何以《金蓮正宗記》在這一部分的敘述，以重陽、七子特別強調？可能的原因之一是和秦志安掌握的資料有關。全真教的發展，以王重陽為重要里程碑，之前屬於道脈源流疏理，對秦志安而言，祖師們的行誼細事，若非盛傳，實難蒐羅，因此僅能以所掌握的資料作交代，資料的詳簡，決定了他敘述的詳簡。

自王重陽起及其後的全真七子，則是教門發展的重要階段，年歲不遠，資料的蒐羅不難，所以比較詳細。這樣的解釋，同時也可以說明何以對王重陽之後的和玉蟾，靈

---

[31] [金]馬鈺著：《正統道藏・丹陽真人直言》2a，第54冊，頁241。

陽子的敘述較為簡略。因為他們與王重陽，亦師亦友，和全真七子與重陽的純然師徒關係不同。以秦志安作為丘處機派下門人的角度而言，既無法詳知他們的事蹟，也沒把他們放在全真教發展的核心位置上，所以僅就現有資料簡述。當然另一可能的原因是，重陽傳下的道法，特別強調苦修，而七子於此謹遵師教，因此苦修成為特色，所以必加敘述。

八、神異事蹟及其意義

《金蓮正宗記》的敘述接續在修行歷程之後的內容，通常是仙真們的雲遊布道事跡。王重陽之前的仙真傳記對這一方面的敘述，著重於濟世和傳承道法的內容上，敘述手法也多以概括性筆調，交代較為簡單。如東華帝君之「開闡玄宗，發揮妙蘊，陰功濟物，玄德動天」（1:1b）；鍾離權之「積行救人」（1:4a）；呂純陽之「貨丹救疾苦，賣墨惠貧窮，積功累行，以至成真」（1:7a）。除此之外，尚有神蹟的顯露，而這些神蹟顯露的敘述，通常具有見證性，也就是說透過這些神蹟，證明其神變萬化，真實可驗。如敘述鍾離權之「此後復歷廬山，登三級紅樓，冉冉而升空」（1:5a）。呂純陽以酒噀絹，置入瓶中，取出展絹，有其畫像，在泰山岱嶽觀石壁提詞，山崩而墨跡無損（1:7b-8a）。

劉海蟾於代州壽寧觀，潑墨成龜鶴齊壽，成都青羊宮，潑成清安福壽，代州鳳凰山來儀觀，潑成壽山福海四字，三處相隔千里，皆同日而書之等（1:10a-b）。和玉蟾，靈陽子均有預知死期的能力（2:12a、2:13a）。在這些神異事跡的敘述中，顯現見仙真修行最後的成果，即是突破時空的限制，生無局限，死而不死。

而王重陽和全真七子的雲遊布道事跡中，神蹟的顯示則是敘述的重心。例如王重陽度化七子，多方顯異，已在前面神奇際遇中討論過。除此之外，還有自焚其庵時，自言三年後別有人修，這是預言能力的展現，這樣的預言，顯示其修行的成果。而死前交代弟子不可舉哀，又復開目傳五篇祕語，死時異香馥郁等，死後又在濬儀橋下、劉蔣溪邊現身（2:6a-7a），這是表其死而不死之意。這部分則是顯其修仙神化的證明。

至於全真七子的神異事蹟，則多顯現在救度百姓的事件上，如為地方興醮、祈雨止旱、賑濟窮苦，是他們主要的功行。馬丹陽為東牟祈雨有應、中元焚詞感應至速、下咒讓苦井變甘、止雪、止風雨、使枯木回春等神異事蹟。收藏譚處端所書龜蛇二字，得避火災。劉處玄有預知能力，又能分身、禱雨止旱，感應神速。丘處機祈風禱雨，刻期不差。王玉陽飲鴆酒，殊不煩燥，煮魚療病，起死回生等。

就七子的神異事件而言，明顯的看出，這些神異事件，富有兩層意義：一方面顯現七子修練有成，在性功和命功上，都有超越凡人的成就；另一方面顯示這是布道的方法之一。

就修練有成的角度看，這是道教傳記的傳統筆法。神異事蹟的記載，目的在顯證修行者已然得道，得道亦代表超越凡俗成就了道士所追求的終極真實，修練成仙與道合真。雖然成仙才是修行的最後階段，但尚未完成最後階段時，真正修練有成的得道之士，已具有常人所未有的超能力。七子均對於自己現世生命的終期有所準備，這種神異事蹟說明了一個事實：七子的修行成果是可以確定的。他們各自留下的頌詞，顯現他們證道精義。而證顯修道有成方面的神異事件，可說是自然而樸實的，如齋醮有驗，預知歸期等。

在七子傳記中記載的神異事件，有些可看出是七子刻意顯示神異的記載，例如使枯木回春、起死回生、書字予人避災、煮魚療病等事件。從事件的發生前後，可看出一切都在他們的安排預料之中，就這些事件的效果而言，可知這是他們的傳道策略。

七子受重陽度化後經過刻苦修行，其修行內容是內外均鍊的性命雙修工夫。以他們的修行歷程看，在在顯現清淨無為，樸實儉約的教風，何以在傳道的方式上，盡顯神通，甚至被以為善幻誣民？[32]

探索這些神異事件的意義，便可發現七子的傳道策略，繼承了王重陽的教風。重陽在度化七子時，以神異現象引發他們對現實世界及自我生命的省思，等到七子出家後，才傳予修道要訣。在此之前，重陽一再顯其神異，使他們從習以為常的現實生活中，了解超越世界的存在，神異的顯現是很強烈而明顯的刺激，目的不外是透過刺激，而產生反應。

姬志真在＜重陽祖師開道碑＞中有一段記載，提供了尋繹重陽以神異傳道之用心的線索：

> 所謂得仙者，必稱其怪誕；所謂長生者，必使留形住世而已。殊不知神變出異，幻惑靡常，乃好奇者之所慕，而道家之所謂狡獪也。至於自本自根，自亙古以固存而不壞者，豈尋俗之所易見易知哉？祖師之來傳此而已，……清淨本然，古今常若，祖師以此立本，以此應事。

從本根之道而言，神異之事固然狡獪，然而本根之道，卻是尋俗所不易見、不易知的，所以針對人們對神異事件的好奇及超越能力的嚮往心理，變異幻化，引起人們的注

32 [元]姚遂撰：《正統道藏．甘水仙源錄．玉陽體玄廣度真人王宗師道行碑》卷 2，14a，第 33 冊，頁 140。

意，讓尋俗之人有心踏上尋求本根之道的路上。所以陳銘珪在《長春道教源流考》中，稱王重陽神異之蹟，其用意，在於扶世立教而已。[33]

刻意顯露神通，也具有方便度化的作用，目的仍在扶世立教。對於一般民眾的救度，以神功解決他們最引以為苦的患害，是最能使人信服的方式。無論是天災或是病痛，都是直接威脅到人們生命，引發人們焦慮的強大危機。在這種危機之下，人們渴望解脫的心自然強烈，再以強力刺激的方式，解除這種危機。如此以宗教所特有的使人震懾的神祕力量，形成一種全面籠罩的氛圍，最易令人信服。

顯現神異是七子承襲重陽的傳教策略，而這種方便法是傳教於人，讓人信仰的手段，不過，神異的顯示，同時也是道教傳承上的特殊傳統。但七子的神異事蹟，還具非常重要的全真道派特色，那就是功行的實踐。全真的修行，除了以性命雙修的方式讓自我超脫於現世之外，更重要的是必須有功行才能得道。以齋醮的方式，祈雨止雪，替天下人解除災患，是集體的救濟，是最有功行的表現。顯道的神異事蹟，既是七子傳道的策略，同時也是七子道行的表徵。顯異的目的，通常在於度化世人，將其苦修道果，或用以救助苦難，或是祈雨止雪，均是扶世立教的表現，

---

33 陳銘珪《長春道教源流考》卷 1，頁 23，收於嚴一萍編：《道教研究資料》第 2 輯，台北：藝文印書館，民國 63 年。

且是極富道教神仙變化特色的濟度功行。

從傳記編寫者的觀點言，因全真道的教義特別注重功行，自然他們的傳道度化，關於這方面的事跡也就特別多，碑記撰寫者為彰顯全真教風，採用這方面的資料是理所當然的，所以這方面的記載也特別多。

雖然神異的顯現是傳道策略的一部分，但是全真的教風，仍是有別於以符籙見長的其他道教宗派，不以神異修練為重。這點可以從七子在教門中督促弟子用功的內容看出，已出家的弟子，所要奉行的是著力功行，老實修練，十二個時辰中，時刻不可懈怠，住行坐臥都要修道。

結 語

《金蓮正宗記》的敘述，承襲史傳的敘述傳統，於篇末均有作者對傳主的贊文，在東華帝君的贊文中，述及仙道傳承在現實中的難處，也論及全真道的法脈傳承，將全真道自太上傳承的歷史，借由東華帝君事蹟的隱而不顯，指出仙道為人所疏忽之因。在贊文的後面，都以七言詩作結，全真七子之贊文後詩，冠張神童之名，各篇贊文的內容，都根據傳主的生命歷程述及修行仙道的理則。如東華帝君言傳承之難，鍾離權言修行之難，呂純陽言顯名之難，劉海蟾言棄俗之難，和玉蟾言化人之難。此外也根據仙真修行事蹟，作一總結敘述，最後論其在全真教的地位，如東華帝君是全真第一祖，鍾離權為全真第二祖，王重陽開全真戶牖之先。

總之，贊文即作者對傳主的評價，而從贊文的內容，正可以看出作者的寫作動機——記載全真教的傳承史。

全真教的傳承歷史和一般的歷史不同，這是人間道法的傳承，仙真們於人間的生命歷程，即是顯道的歷程。這一歷程在世俗的價值中，是被忽略的，是隱而不顯的，是史官漏而不書，儒家之所惡言的。但是這一歷程，卻是生命歷程最真實最寶貴的一頁。透過對於仙真在人間顯蹟的生命歷程紀錄，道即就在其中顯現，所以全真祖師們的生命歷程，內涵著全真道教的教義。

生平家世的開端強調祖上德行的敘述，已經彰顯著生命的成全絕非偶然速成的意義，先人若給子孫好的福德基礎，子孫有著好的性格德行，意味著已經立於成全之路的起端，在道教的傳統思想中，以仙緣、仙骨、緣契表達。神祕經驗的體會，是窺視生命奧妙的窗口，師徒會遇的過程，則是循道之路的渡頭。仙真傳記的每個敘述結構，都是一個歷程，而教義就編織在每個歷程裏，或用事表現，或以詩文體現。既承擔著載道的責任，也肩負著徵信的使命，在信仰與信實之間做努力，在仙傳與史傳之間取平衡。

《金蓮正宗記》建立在仙傳敘述結構的基礎上，融入強調全真五祖七真的生命歷程中，真功苦行，性命雙修的道派教義、神異教化方便行法的神蹟內容，取錄金石碑記等文史資料，如實傳載的文獻處理，從傳記的編纂與資料的處理上，可以看出編者在全真簡樸教風的文化下，將這些項目融合總匯，即成具特色的全真傳記。

本文刊於中央研究院中國文哲研究所 2007 年出版之《聖傳與詩禪》中國文學與宗教論集中。

《金蓮正宗仙源像傳》敘述分析

前言

《金蓮正宗仙源像傳》，於元泰定三年（1326）由劉志玄、謝西蟾合撰，晚《金蓮正宗記》八十多年，與《金蓮正宗記》不同之處在於加附各仙真的畫像。《金蓮正宗記》及《金蓮正宗仙源像傳》，均為記錄全真五祖七真的傳記，《金蓮正宗記》有五卷之多，《金蓮正宗仙源像傳》謹二卷，後合為一卷。內容是以前者為基礎，增入混元老子，去掉和玉蟾與李靈陽兩仙真。在卷首附上朝廷對全真教的封制詞、或宗皇帝加制詞。關於此書的研究，溫瑞瀅：

《全真七子傳記及其小說化研究》[1]中論及寫作目的及形式內容，並未針對內文進行詳論。本文分析《金蓮正宗仙源像傳》的結構為：出身、修行、行道及證道，分別論述其敘述內涵及意義。

一、《金蓮正宗仙源像傳》的編纂形式與目的

《金蓮正宗仙源像傳》一書，卷首有元泰定四年(1327年)嗣天師太玄子張嗣成序，稱此書為清溪道士劉志玄與謝西蟾所著，另外也有一篇劉志玄的自序，裏面也明言，此書是他與謝西蟾「博搜傳記，旁及碑碣，編錄數年，始得詳悉。」

關於劉志玄與謝西蟾的資料非常少見，僅《金蓮正宗仙源像傳》太玄子所寫的序中得知，劉志玄字天素。廬山清溪道士。謝西蟾生平不詳。由於太玄子為第三十九代天師張嗣成，因此可判定劉志玄、謝西蟾二人為張嗣成同時代之人。[2]

此書原為二卷，後合為一卷，首卷錄元太祖成吉思汗召丘神仙即丘處機的手詔，元世祖至元六年(1269年)褒封全真五祖、七真及丘處機十八弟子之制詞，還有元武宗至大

[1] 溫瑞瀅：《全真七子傳記及其小說化研究》政治大學碩士論文，民國92年。

[2] 溫瑞瀅：《全真七子傳記及其小說化研究》，頁48。

三年(1310 年)褒封五祖、七真及丘處機十八弟子之制詞。卷末有劉志玄的後序，說明他在大長春宮親眼看見幾位皇帝的詔書，謹錄付梓，以示四方。

傳記的主要部分，記錄了混元老子及五祖七真傳記。五祖即東華帝君、正陽子鍾離權、純陽子呂巖、海蟾子劉操、重陽子王嚞。七真即丹陽子馬鈺、長真子譚處端、長生子劉處玄、長春子丘處機、玉陽子王處一、廣寧子郝大通、清靜散人孫不二。內容則述其生平及歷代帝王封號，前有圖像，傳後有贊。

此書與《金蓮正宗記》書名相近，記錄的傳主也多數重疊，《金蓮正宗記》為元代全真道士，樗櫟道人秦志安所編著的全真五祖七真的傳記。這兩本書在《道藏》中，收於洞真部，譜籙類，致字號，同類的有《上清三尊譜錄》、《元始上真眾仙記》、《洞玄靈寶真靈位業圖》、《七真年譜》等，可見《金蓮正宗記》及《金蓮正宗仙源像傳》，不僅在全真教的傳承歷史中，有其特殊的意義，在道教內部的認知中，其定位不同於一般的傳記歸於記傳類，而是在資料的權威性與重要性上更高的譜籙類。

《金蓮正宗記》前有壺天真人所寫的敘文，整段敘文首論道與教之不同，指出其體用關係，引出道教過往的歷史，教派的興盛隨時演化。接著介紹全真教的教義與教風，其中以丘處機的雪山勸殺為重心，說明全真教在元代道教的代表性，指出全真教的源流派下，明言全真教在道教發展史上，建立了前所未有的興盛教門。序中名言作《金蓮正宗記》的目的，即為教派的發展，留下歷史的見證。[3]

不同於《金蓮正宗記》於序文內述及道教歷史，由黃帝而老子而二張天師，《金蓮正宗仙源像傳》的作者，從老子開始記錄，接著即開始述及東華帝君等五祖七真，其記載的五祖七真與《金蓮正宗記》並無差異，不過在文字的數量上，《金蓮正宗仙源像傳》要簡短許多。

劉志玄於《金蓮正宗仙源像傳》序文中說明編纂用意：

> 大道之妙，有非文字可傳者，有非文字不傳者，此仙源像傳所以作也。惟我全真自玄元而下五祖七真，道高德厚，化被九有，長春丘祖師，萬里雪山，玄風大闡。此固不待文字而後傳，然而其事蹟之詳，未易推究，余每欲緝全書紀之。一日，以此意為西蟾先生言之，西蟾先生欣然稱善。乃相與博搜傳記旁及碑碣，編錄數年，始得詳悉，乃圖像於前，附傳於後，名曰全真金蓮正宗仙源像傳。同志之士覽之者，因其所可傳，求其所不

3 詳見[元]秦志安：《金蓮正宗記》序，《正統道藏》第5冊，頁127。台北：新文豐出版公司，民國84年。

可傳。[4]

比較《金蓮正宗記》與《金蓮正宗仙源像傳》的序文，可知，二書鎖定的目標不同。有《金蓮正宗記》為教派發展作歷史的見證在前，劉志玄編纂全真五祖七真的傳記，自然受限，若在劉志玄心中《金蓮正宗記》是完整無缺的話，應該就不會有《金蓮正宗仙源像傳》的產生了。

所以從清溪道人的自序，「因其所可傳，求其所不傳」一語，不難推敲其編纂動機，縱使《金蓮正宗記》已經把全真五祖七真的生平道蹟詳錄，八十多年後，清溪道人發現，祖師們行教事蹟的詳情，仍然不易推究，因而想緝書記，從而蒐集資料，發現有許多資料，是前書未載的，而這些資料，有其「可傳」的價值，因為在這些資料背後，隱藏著「不可傳」的妙道。

若從道教發展歷史考量，全真教在李志常之後，經過兩次與佛教的辯論，並且遭遇焚經浩劫。第一次在元憲宗八年（1259）第二次在至元十八年（1281），兩次均因辯論失敗經藏遭燬。[5]《金蓮正宗仙源像傳》成書於泰定三年，為兩次焚經之後，鑑於焚經浩劫使得珍貴的教內資料散失，因而重整教派發展相關史料，藉以重振教門士氣也可

4 [元]劉志玄、謝西蟾：《金蓮正宗仙源像傳》序，1a-2a，《正統道藏》第 5 冊，頁 160。

5 陳垣：《南宋初河北新道教考》北京：中華書局，1985 年，頁 49。

能是此書編纂的動機。

從編排的內容比較兩者的差異，可見《金蓮正宗記》的序文演述道教的發展，從黃帝，老子，天師一脈相傳，直至東華帝君與全真相連。而《金蓮正宗仙源像傳》則以老子為第一人，在老子傳記的結語明言：「老子是太清太上老君之化」，[6]同樣也是把全真法脈上溯於道教的源頭，但不以文字明言，而是以傳記編排的方式，展現其「文字不可傳」之道。當然每位仙真均圖像於前，也是呈現一種「文字不可傳」的妙道。道教的修行一直有存思觀想的功法，圖像即是具體的存思觀想對象，在閱讀仙真傳記，效法仙真行誼，學習仙真道法時，有具體的圖像，更能幫助修行者具體修行。

二、《金蓮正宗仙源像傳》與《金蓮正宗記》[7]的敘述差異

像傳的篇幅明顯少於記，其敘述較簡，是顯而易見的，由於《金蓮正宗記》在傳文之後，均有一長篇贊文，像傳於此一結構一律以四言八句詩為贊，篇幅較少是理所當然的。不過最重要的原因在於像傳的資料，明顯地較少。以

---

6 [元]劉志玄、謝西蟾：《金蓮正宗仙源像傳》12b，第5冊，頁166。

7 後文行文依文意需求簡稱《金蓮正宗仙源像傳》為像傳，《金蓮正宗記》為記。

東華帝君為例：

> 帝君姓王氏，字玄甫，道號東華子，生有奇表，幼慕真風，白雲上真見而愛之，曰天上謫仙人也。乃引之入山，授之以青符玉篆靈文、大丹祕訣、周天火候，青龍劍法。先生得之，拳拳服膺三年，精心盡得其妙。[8]
>
> 帝君姓王，不知其名，世代地理皆莫詳，得太上之道。[9]

對於東華帝君的姓氏，名號，相貌，傳承，修行過程，記均有敘述，而像傳只簡單以莫詳交代，對於傳承則僅以「得太上之道」五字帶過。在事蹟行誼上，記的記載也詳盡：

> 遂退居於崑崙山煙霞洞，頤神養浩，久之結草庵以自居，篆其居曰：東華觀。韜光晦迹，百有餘年，而人未之知也。後徙居代州五臺之陽，山中今有紫府洞天，山下有道人縣，在人間數百歲，殊無衰老之容。開闡玄宗，發揮妙蘊，陰功濟物，玄德動天，故天真賜號，曰東華帝君。又曰紫府

---

8 [元]秦志安：《金蓮正宗記》卷 1，1a，頁 28。

9 [元]劉志玄、謝西蟾：《金蓮正宗仙源像傳》13b，頁 169。

少陽君，授度門人，正陽真人鍾離雲房，嗣弘法教，所有聖遠，不能其述，全真之道，由此溫觴，故立之以為全真第一祖。[10]

同樣是呈現東華帝君的稱號傳承，像傳的記載顯得簡要：

隱崑嵛山，號東華帝君，復居五臺山，紫府洞天，或稱紫府少陽君，後示現於終南山紫陽洞，以道授鍾離子。[11]

然而像傳的記載內容雖簡略，重要的訊息，並無缺漏：

又按《仙傳拾遺》云，帝君蓋青陽之元氣，萬神之先也，居太晨之宮，紫雲為蓋，青雲為城，仙僚萬億，校錄仙籍，以稟命於老君，所謂王姓者，乃尊高貴上之稱，非其氏族也，斯言蓋得之歟。[12]

在此引《仙傳拾遺》的記載，正說明了像傳不同於記僅錄全真五祖七真的傳記，而首載混元老子傳記的原因，東華帝君是稟命於老子，演化道法於人間，傳授妙道於全

10 [元]秦志安：《金蓮正宗記》卷 1，1a-b，頁 28。
11 [元]劉志玄、謝西蟾：《金蓮正宗仙源像傳》13b，第 5 冊，頁 169。
12 [元]劉志玄、謝西蟾：《金蓮正宗仙源像傳》13b，第 5 冊，頁 169。

真的。從記與像傳詳、簡不同的內容可發現，關於傳主的行蹤歷程，像傳只作重點交代，引用不同資料，但特別強調歷代朝廷封號：

> 元世祖皇帝封號東華紫府少陽帝君。
>
> 武宗皇帝加封東華紫府輔元立極大帝君。[13]

比較記和像傳之於全真五祖七真的事蹟記載，可以看出後編的像傳，資料上明顯比記的內容簡略，因為記的資料採錄於前，如鍾離權的傳記，是以＜廬山金泉觀記＞為主，呂純陽的傳記則以＜岳州青羊觀石壁記＞，像傳若同樣採取這些資料的內容，則無任何編纂的意義，因此像傳的資料，只得從其他傳記、文書如《仙傳拾遺》、元代皇帝詔書等，補記所未呈現的資料或訊息。基於引用資料的不同，所以像傳所呈現的敘述風格，與漢末六朝以來的仙傳敘述風格較似，例如，對於遺蹟的強調：

> 今亳州太清宮即其故宅……終南山宗聖宮即古樓觀授經處。[14]
>
> 今終南山凝陽洞傳道觀，即遇東華帝君處。[15]

---

[13] [元]劉志玄、謝西蟾：《金蓮正宗仙源像傳》13b，第 5 冊，頁 169。
[14] [元]劉志玄、謝西蟾：《金蓮正宗仙源像傳》12b，第 5 冊，頁 166。
[15] [元]劉志玄、謝西蟾：《金蓮正宗仙源像傳》14b，第 5 冊，頁 167。

又如對傳主生命不死的交代：

> 授令尹而去，世莫知所終。[16](混元老子)
>
> 翶遊人間，示現無常，世人往往過之。[17](鍾離權)
>
> 或隱或顯，世莫能測。[18](純陽子)
>
> 乃遁跡於終南、太華山之間，不知所終，有詩文行於世。 [19](海蟾子)

這些敘述策略的運用，在《列仙傳》、《神仙傳》、《洞仙傳》等仙傳集裏，經常出現，其作用在呈現傳主的神仙特質，及敘述者的客觀態度。在像傳的敘述內容中，關於混元老子、王重陽之前的這些全真傳說時期的仙真傳記，傳承了仙傳的敘述風格，而王重陽及七真的傳記，則不見這樣的敘述方式處理他們的生命歸處問題，而是以「仙化」、「逝」、或「化」之類的詞語呈現。而記在王重陽之前的仙真傳記如何結尾

> 此後復歷廬山，登三級紅樓，冉冉而升空矣。[20](鍾離權)

16 [元]劉志玄、謝西蟾：《金蓮正宗仙源像傳》12b，第 5 冊，頁 166。
17 [元]劉志玄、謝西蟾：《金蓮正宗仙源像傳》14b，第 5 冊，頁 167。
18 [元]劉志玄、謝西蟾：《金蓮正宗仙源像傳》16a，第 5 冊，頁 168。
19 [元]劉志玄、謝西蟾：《金蓮正宗仙源像傳》17b，第 5 冊，頁 169。
20 [元]秦志安：《金蓮正宗記》卷 1，5a，第 5 冊，頁 130。

> 後遊歷黃鶴樓，冉冉飛升，日當卓午，五月二十日也，市鄽中人，瞻仰企慕，但見隱隱升入于雲中矣。[21](呂純陽)

兩相比較之下，可以看出，像傳所引用的資料在敘述筆法上是較素樸的，編者也忠實地呈現這些資料，這點說明了像傳編者對於資料的運用，採取客觀的忠實呈現態度。

此外，五祖七真的傳世著作在《金蓮正宗記》沒有特別記載，《金蓮正宗仙源像傳》都詳細羅列也特別提及仙真故居。出生和歸真時的異象本是《金蓮正宗記》強調的重點，而《金蓮正宗仙源像傳》並不特別著墨書寫。雖然像傳的敘述較簡略，但也出現記所沒有的資料，例如王處一的母親周氏也一同出家，以及在王重陽傳中提及王重陽另有三名弟子：史處厚、劉通微、嚴處常。可見後出的《金蓮正宗仙源像傳》於《金蓮正宗記》有補充史料的作用。

三 、出身的敘述筆法及其意義

《金蓮正宗仙源像傳》傳承史傳的敘述傳統，在傳記的開頭，是仙真們姓名里籍的交代：

> 老子姓李名耳，字聃，苦縣瀨鄉曲仁里也。

---

[21] [元]秦志安：《金蓮正宗記》卷 1，8a，第 5 冊，頁 131。

帝君姓王，不知其名，世代地理，皆莫詳。

師姓鍾離，名權，字雲房，號正陽子，京兆咸陽人也。

師姓呂，名巖，字洞賓，號純陽子，浦州浦坡縣永樂鎮招賢里人也。

師姓劉，名操，字宗成，號海蟾子，燕山人也。

師姓王，名嚞，字知明，號重陽子，咸陽大魏村人也。

師姓馬，名鈺，字玄寶，號丹陽子，初名從義，字宜甫，寧海州人也。

師姓譚，名處端，字通正，號長真子，寧海人也。初名玉，字伯玉。

師姓劉，名處玄，字通妙，號長生子，東萊之武官莊人也。

師姓丘，名處機，字通密，號長春子，登州棲霞縣賓都人也

師姓王，名處一，字玉陽，號傘陽子，寧海東牟人也。

師姓郝，名大通，字太古，號廣寧子，寧海人也。

仙姑姓孫，名不二，號清淨散人，寧海人也。

這些基本資料的敘述筆法，和正史列傳對人物的敘述一致。不過在這些簡單的敘述裏面，一兩字的差異，仍表達出某些訊息，首先看到的是自鍾離權開始至郝大通止，每位仙真均冠以師的尊稱，印證全真的傳承歷史；從王重陽甘河遇仙，所遇即鍾離權與呂洞賓，而東華帝君是鍾離權道法傳承之源，老子又是道法之源，道法傳承遠近層次，區隔得非常清楚。

至於孫不二的稱呼未冠師之尊詞，也呈現了孫不二對於全真教團的發展，並非居於核心地位的事實。原因在於全真教是以出家修行為主的宗教團體，孫不二雖拜師於王重陽，但王重陽只教授修行要訣，其餘則靠她個人實踐，七子中只有她一位女性，她並沒像其他人一樣跟在王重陽身邊修行，也不參與教團事務，像傳的編纂者是男性，和她無法連結師承關係，故以仙姑尊稱而不冠以師之尊稱。

這些小細節仍是可看出敘述者對資料的處理態度，即盡力展現資料的真實層面，關於這一點，還可以從老子及自馬丹陽以下七子的傳記均詳錄出生日期得證，這些確定的出生日期，也不見於《金蓮正宗記》，何以後出的像傳反而掌握了仙真更精確的出生日期？因為像傳的作者編書時，已有《七真年譜》可供參考。不過這些確定的出生日期，對閱讀者而言具有說服力，讓信徒相信，這些仙真都是真實生活於人間的修行者，他們從凡人透過正確的修行方法，全部得道成仙了，由此可知，神仙真有，神仙可學。這是仙傳採取與史傳相同的敘述方式所得到的類推效果，即史傳記載的是真實的事件，與史傳相同筆法記載的仙真傳記也是有具體資料可以查考的真人真事。

除了仙真的基本資料之外，像傳的敘述也對仙真的外貌有所著墨，如老子的「生而鬚髮皓白」、鍾離權「容貌雄偉」「身長八尺七寸，髯過於腹，目有神光」、王重陽「美鬚髮，目大於口」從這些敘述內容，可以發現，仙真具有異相。而這些異相也具體說明了他們不同於常人，他們是仙人。

奇異的相貌，能說明仙真異於常人之處，奇異的出生現象，也是異於常人的事項，如老子「母孕八十一年」，王重陽「母孕二十四月而生」，王處一生「母夢丹霞被體而生」，孫不二「母夢六鶴飛舞於庭，一鶴飛入懷中，覺而有娠，乃生仙姑」。奇特的出生異像，在史傳的敘述傳統中，向來是強化傳主個人特色的一種書寫筆法，民間也視出生異象為一種徵兆，在仙傳的敘述傳統中，這方面的書寫，除了強化個人特色之外，更呈現道教文化中仙骨，仙緣的思想觀念。

神仙之道可學而得，可學而能，是道教思想的最基本觀念，但是芸芸眾生之中，修仙者是少數，成仙者更如鳳毛麟角。這些少數中的少數，何以不同於凡人？因為他們具有成仙的先天條件。

具有仙緣或仙骨的人，比凡人更有機會得到難能可貴的神仙之道的觀念，可以解除多數人對於何以多數眾生不解求道的質疑；也說明許多求道者畢生致力於修行，卻不見功效的原因。仙緣、仙骨這一思想觀念透過神仙思想的傳播，為社會大眾所接受，因此異於常人的出生徵兆，被世人視為具仙緣、仙骨，在敘述仙真出生時，強調其特異徵兆，變成是一種先天的證明：這是一個得道的仙真。

然而仙緣、仙骨是否具備，既然隨著神秘降生徵兆而來，就不是後天努力能達成的，這與宣傳「神仙之道可學而成，可學而能」的思想相違背，無法滿足於世人長生不死的願望。先天沒有仙骨，仙緣的人是否就得絕望？《金蓮正宗仙源像傳》有另一敘述重點，回應此一問句：先天沒有仙骨的人，可以因後天的內在心性，與仙契合，締造仙緣，從而習仙成道。除了外貌有仙質，出生有特異徵兆之，像傳的敘述，也強調了仙真的心性特質。如:

> 嗜性命之學，未究玄蘊。[22]（劉海蟾）
>
> 會中原多事，秦隴紛擾，師每有出塵之志。[23]（王重陽）

---

[22] [元]劉志玄、謝西蟾：《金蓮正宗仙源像傳》，17a，第 5 冊，頁 169。

[23] [元]劉志玄、謝西蟾：《金蓮正宗仙源像傳》，18b，第 5 冊，頁 169。

> 幼墮井，坐水上，無驚，復遇大火，不怖，人皆異之。[24]（譚處端）
>
> 事母以孝聞，誓不婚宦，視外物恬不介意，屢欲出家。[25]（劉處玄）
>
> 幼聰敏，日記千餘言，未弱冠，即學道。[26]（丘處機）
>
> 事母孝，脩然有出塵之志，好讀易，洞曉陰陽術數之學，慕季主君平。[27]（郝大通）
>
> 仙姑性聰慧，嚴禮法。[28]（孫不二）

天性聰慧，嚴於禮法的孫不二，將聰慧的天性，和謹守法度的行事作風，轉向仙道的修行實踐，同樣在仙道實證的領域中有好的實證成果。而素來就對玄風有向慕之心，又通曉陰陽數術的郝大通，則是熟能生巧、精益求精的範例。從上引的例證可見，不管求道之心是天生之性，或後天感時應事，只要有心學道，都是得道成仙的因素。

外貌、出生異徵、心性特質的敘述，可以建構出仙真的特質，以實際的範例展現於閱讀者面前，告訴閱讀者什

24 [元]劉志玄、謝西蟾：《金蓮正宗仙源像傳》，27a，第5冊，頁174。
25 [元]劉志玄、謝西蟾：《金蓮正宗仙源像傳》，29b，第5冊，頁175。
26 [元]劉志玄、謝西蟾：《金蓮正宗仙源像傳》，32a，第5冊，頁176。
27 [元]劉志玄、謝西蟾：《金蓮正宗仙源像傳》，39a，第5冊，頁180。
28 [元]劉志玄、謝西蟾：《金蓮正宗仙源像傳》，41b，第5冊，頁181。

麼樣的人可以得道成仙：骨相特異的人有先天的優勢，有心向慕的人，可憑心契合仙道，這樣的形象心性的描述，同時也塑造了仙真們仙風道骨的形象與飄然淡泊的氣質。

四、修行的敘述及其意義

在仙傳的敘述模式中，於仙真個人基本資料：姓名、時代、里籍、家世背景、長相、心性志趣的敘述之後，通常就進入仙真的修行歷程。歷程是一個人由凡成仙的關鍵，這樣劇烈的改變不是憑空而來的，所以敘述的內容往往牽涉特殊的際遇。

《金蓮正宗仙源像傳》的敘述重心，也將大部分的篇幅集中在修行過程及之後的傳道證道的內容上。在修行過程中，首先呈現的是促使仙真走上修行之路的契機——神奇際遇。上文曾經討論過有些仙真生性與仙道追求的終極目標相合，或對性命之學有著濃厚的興趣，或熟悉仙道知識，這些已成為他們修道得道的基礎。然而縱使有這些基礎，他們仍在塵世中過者凡人的生活，直到觸發他們把心志付諸於實踐行動的事件發生，此一事件即成一種驅動力，這種驅動力常來自於神秘的體驗。

除了老子和東華帝君，在《金蓮正宗仙源像傳》的敘述中以得道者身分呈現其傳道者的形象之外，其他的仙真都有一段明確的修行歷程，修行之初通常有段神奇際遇。如鍾離權因打仗失利，逃到終南山，遇見東華帝君，授以至道，而後開始修行之路。呂洞賓在遊灃水時遇上鍾離權，授神仙之道後才隱居修行。劉海蟾則是因鍾離權突來造訪，在他面前疊十卵在金錢上，讓他為這種情勢感到危險，再一語點破，身處權力中心的他，神、命俱危，更甚於這十顆蛋，讓他有所頓悟。

王重陽在甘河鎮酒肆遇二人，見而異之，懇禮其人，逐密授道妙。馬鈺在范明叔宴會中賦詩，吟出「醉中人扶」之句，即遇王重陽布袍竹笠，冒暑而來，說出特來「扶醉人」一語。馬鈺請他吃瓜，他從蒂吃起，引起馬鈺的好奇，因而道處「甜向苦中來」隱喻。

譚處端幼時曾經跌到井裏，卻神奇地坐在水上，未受驚嚇，遇見火災也不恐懼，這直接讓人聯想到莊子裏面的「入水不濡，入火不焚」的神人形象。而後他染有風痺之疾，當他首次拜見王重陽時，是在寒冷的冬夜，王重陽令他抱著王重陽的腳，沒多久，他汗流被體，好像睡在炕上一般，第二天，王重陽又把自己洗過的洗臉水給他洗臉，洗過之後宿疾頓除。

劉處玄在大定九年二月，忽然看見鄰居壁間，人所不能及處，寫了二首頌詞，墨跡猶新，沒有題名，末句有「武官養性真仙地，須有長生不死人」疑異未能覺，等到當年九月見到王重陽，王重陽一開口就對著他說「壁間墨痕汝知之乎」。

王玉陽，七歲時無疾死而復甦，由是知生死之事，又曾山行遇一老翁，坐石上與之語，又聞空中人自稱玄庭宮主。從此若有所得。

這些神奇的際遇，不論是直接傳授道法，或是點化勸醒留戀俗世的心念，也有解除生理病痛，亦或是展現奇蹟，還是引導仙真體會生命奧義。都具備了提拔點醒的功效，不管是直接授以玄妙之道，讓弟子精進修行，或是漸進地引入出家修行之路。這些意料之外的神祕經驗，在閱讀者心中，均產生相當強大的吸引力，或羨慕，或質疑，亦或覺得不可思議。這些神奇的際遇均屬仙真們的神祕經驗，均非常態，因為不是常態，所以覺得特異、覺得神奇，就仙真們而言這些神祕經驗讓他們以自身的經驗，打破世俗認定的成見，進而窺見宇宙得奧妙，領悟生命的奧義，認識仙道的可能。

就閱讀者特別是信奉全真得道徒而言，這些神奇際遇則是仙真修行的歷程，代表著一個人從凡俗世界走向神聖世界的關鍵。基於仙真們都是得道成道的神仙的認知，這些神祕經驗當然也是真實存在的一段過程，縱使閱讀者非道徒，也不相信神仙思想，在閱讀的過程中，都見識到神仙道教的神祕色彩。以傳達神仙思想而言，已達成仙傳編寫的功能。

在《金蓮正宗仙源像傳》敘述神奇際遇的內容中，詩文運用的現象也值得討論，如鍾離權在成道之後，示現無常，世人往往遇之，於是記下了他口中的頌語：

> 生我之門，死我戶，幾個惺惺，幾個悟，也來鐵漢細思尋，長生不死由人做。[29]

呂洞賓也在修練成道後，周遊人間，或隱或顯，世莫能測，但也留有詩云：

> 捉得金精作命基，日魂東畔月華西，於中煉就長生藥，服了還同天地齊。[30]

劉海蟾也有詩留下：

> 拋離火宅三千口，屏去門兵十萬家。
> 醉騎白爐來，倒提銅尾。
> 引個碧眼奴，擔著獨胡瘦。
> 自忘塵世事，家住葛洪井。
> 不讀黃庭經，豈燒龍虎鼎。
> 獨立都市中，不受俗人請。
> 於攜霹靂琴，去上崑崙頂。

---

29 [元]劉志玄、謝西蟾：《金蓮正宗仙源像傳》，14b，第 5 冊，頁 167。

30 [元]劉志玄、謝西蟾：《金蓮正宗仙源像傳》，1a，第 5 冊，頁 168。

吳牛賣十角，溪田耕半頃。

種黍釀白醪，便是神仙境。

醉臥古松陰，閒立白雲嶺。

要去即便去，直入秋霞影。[31]

上引詩歌，是他們得道所悟的證道詩，隨口吟唱於人間，實際上的作用即在度化世人、傳播神仙思想。只是他們採取的方式隨緣度化，若有人聽出端倪，再進一步結緣。像傳的編纂者編錄這些詩歌於仙真傳記中，除了傳播神仙思想之外，還有引作實證的效果，將這些詩歌散播於世間，為人們所流傳，正可用以證明傳記所敘的仙真事蹟真實可信，詩文的收錄即是一手資料。

此外，王重陽本身，常以詩文傳道濟世，作為全真道歷史記錄的《金蓮正宗仙源像傳》引錄這些詩文，則是出於教派特色的內在因素。因此《金蓮正宗仙源像傳》述及重陽本身及重陽度化七真的內容中，出現了大量的詩文，如重陽得二仙教授道妙後即有頌云：

四十八上始遭逢，口訣傳來便有功。一粒金丹色愈好，玉華峰上顯殷紅。[32]

31 [元]劉志玄、謝西蟾：《金蓮正宗仙源像傳》，17a，第 5 冊，頁 169。
32 [元]劉志玄、謝西蟾：《金蓮正宗仙源像傳》，19a，第 5 冊，頁 170。

在甲申年遇劉海蟾時，又有詞云：

> 正陽的祖，由純陽師父，修持深奧，更有真尊，為師叔海蟾，同居三島，醒來不飲塵中酒,達後惟傳世外杯，從此白雲隨地有，自然舉步到蓬萊。[33]

乙酉年春天題詩於終南山太平宮壁云：

> 害風，害風舊病發，壽命不過五十八。[34]

從這些的內容，可以看到王重陽得道的歷程，接受二仙密傳後，即在性命修行的功夫上有所精進，後遇師叔劉海蟾，又得到修行上的助益，至乙酉年春天，已達證道境界，完全預見自己在塵世間的緣期。

從資料本身的呈現而言，因王重陽習以詩詞歌頌等文學體製表達他對於仙道的體悟，在他與徒弟互動的過程中，也常以詩詞贈答。所以在全真派傳的敘述中，詩詞的引用，當然是無可避免的，甚至於是很好的實證。但詩詞的作用在神奇際遇中除了作為明證之外，更因詩詞語言的隱喻、象徵意義，而與神奇際遇中的神祕感融合，進而產生點化效果，引人頓悟。

---

33 [元]劉志玄、謝西蟾：《金蓮正宗仙源像傳》，19b，第 5 冊，頁 170。
34 [元]劉志玄、謝西蟾：《金蓮正宗仙源像傳》，19b，第 5 冊，頁 170。

在神奇際遇引發修道契機之後，即進入修道的實踐歷程，因全真以出家修行為風，在《金蓮正宗仙源像傳》的敘述中，王重陽以前的仙真傳記，並未強調其苦修的歷程，王重陽以後即強調仙真們的苦修經驗。其相關敘述如下：

> 甲午中秋，師與譚劉丘三師，宿秦渡鎮真武廟，月夜各言其志，師曰：鬥貧，譚曰鬥是，劉曰鬥志，丘曰鬥閒。乃別長真長生遊洛陽，長春隱磻溪，師返祖庭，鎖環而居，至十八年戊戌八月朔，出環。[35](馬鈺)
>
> 師遊二祖鎮，遇一醉徒問師，爾從何來，未及應，遽以掌擊，師口齒折，血流而容色愈和，吐齒握手中，歌舞而去。[36] (譚處端)
>
> 甲午秋乃　跡京洛，心灰益寒，形木不春，人餽則食，人問則答。[37]（劉處玄）
>
> 甲午秋，乃入磻溪，穴居，日乞一食，行一簑，人謂之簑衣先生，晝夜不寐者六年，復隱於隴州龍門山，苦行若磻溪時。[38]（丘處機）

---

35 [元]劉志玄、謝西蟾：《金蓮正宗仙源像傳》，24b-25a，第 5 冊，頁 172-3。

36 [元]劉志玄、謝西蟾：《金蓮正宗仙源像傳》，29a，第 5 冊，頁 174。

37 [元]劉志玄、謝西蟾：《金蓮正宗仙源像傳》，30a-b，第 5 冊，頁 175。

38 [元]劉志玄、謝西蟾：《金蓮正宗仙源像傳》，32b，第 5 冊，頁 176。

居雲光洞九年，志行確苦，嘗俯大壑以一足歧立，人稱鐵腳仙。[39](王處一)

坐沃州橋下，不語不動，河水泛溢，亦不稍移，人饋則食，不饋則已，雖祁寒酷暑，兀然無變，如此者六年。其族屬親戚來視之，師皆不答，有所贈，亦皆不受。[40]（郝大通）

仙道的修習，目的在於擺脫死亡的限制，這種違背生命必然現象的企求，自非易事，全真教以性命雙修為修煉法門，無論心理或生理，都是修煉的對象，苦修的歷程，就是鍛鍊身心的方法。

邱劉譚馬四人，各選一目標對治，劉處玄選擇在繁華都市鍛鍊心性，以行乞取得生活所需，摒除是非榮辱，要比在山林中隱居修行，難度更高，也唯有如此，更能顯示其鬥志的決心，時時受考驗，正可以時時堅定修煉心志。

馬鈺則是因為出身於富豪大族，故而選擇與過去習慣全然相反的貧窮作為尅治目標，可見他們選擇心性的對治，都是出於對自我內在的省察而訂定的。

譚處端選定放棄是非分判當作心性修行的目標，卻選擇定居於洛陽，和劉處玄一樣，給自己最艱難的挑戰，唯

39 [元]劉志玄、謝西蟾：《金蓮正宗仙源像傳》，37a，第 5 冊，頁 179。

40 [元]劉志玄、謝西蟾：《金蓮正宗仙源像傳》，40a-b，第 5 冊，頁 180。

其艱難，更見其心性鍛鍊的堅定意志。

丘處機和譚、劉二人選擇的修行場所正好相反，先後在人煙稀少的地方，修行了十三年，而他對治的目標，正是個閒字。

從這四人的苦修歷程，可以歸納出他們選擇的修行環境與自己所要剋治的目標息息相關。毫無閃避的把自己置身於對治目標的環境中，時時刻刻正面承受挑戰。

苦修的意義何在？全真教的修行方法強調性命雙修的內丹修煉，也就是結合身心的雙向修行方法，認為修行要從心上下功夫，他們對心做了各種深入細致的區分和判別，如：塵心、貪心、真心、本心、清虛心、冷淡心等，修煉就是煉盡紛陳之心，以顯出本來真心。譚處端《水雲集・長思仙》云：

> 道人心、處無心、自在逍遙清靜心，閑了雲水心。
> 利名心，縱貧心，日夜煎熬勞役心，何時休歇心？
> 修行心，包容心，一片清虛冷淡心，閑閑無用心。
> 滅嗔心，去貪心，寂寞清貧合聖心，無生現本心。[41]

張廣保認為早期全真道倡導煉心，主要是基於內丹修

[41] 潘圭璋編：《全金元詞》台北：洪氏出版社印行，頁 417-418。

煉中，心功是基本功。[42]因此制伏欲念塵心，使心不逐一切物去，讓心回復道性是修煉首要，苦修對應的就是人出生以來身心習染社會種種不利明心見性的習性，從而能夠得道，同時由於全真道強調出家修行，其生活所需，須大眾支持，簡樸自持是必要的自我約束，馬鈺在《丹陽直指》中言：

> 或十二時辰中，未有一個時辰專心在道，將來怎得了達，受十方施主供養。[43]

若自身沒有專心修行，如何通達，若對生命探索得不通透，而如何度化他人？一個修道人不能和他人分享自己修道的成果，對他人有所助益，又有何資格平白得到他人的物資？所以苦修固然是讓自己專心在道的強制訓練法，但全真的修行者對於道法是有信心的，認為只要依法修行定有所成，定能對十方施主有益，得十方施主信賴。然而若非徹底了悟，挾持道術任性逞能，自以為神師，惑亂塵世，無論是對修行者本身或是芸芸眾生，都是危險的，所以在身心性的煉養上，不能打折扣，不可心存任何懈怠，以確保修行確實得道，無愧於十方施主的供養。

---

42 張廣保：《金元全真道內丹心性論研究》台北：文津書局，民國 82 年，頁 87。

43 [金]馬鈺：《丹陽真人直言》，2a，《正統道藏》第 54 冊，頁 241。

五、行道與證道敘述及其意義

王重陽二度於醴泉再遇二仙得授祕訣五篇後，於終南縣南山村作活死人墓穴居。在活死人墓四角落各植海棠一株，揚言將使四海教風為一家，而後由陝西東赴齊地度化七子，七子也承襲重陽教化。在王重陽度化七子的神奇際遇中已見重陽顯示許多神功奇能，著名的「分梨十化」度化馬鈺夫婦的過程也是以神蹟的顯現聞名。除了在度化弟子的過程中，個別顯示神異外，為傳揚全真道法，王重陽也在眾人面前顯神異之能：

> 八月就本堂立金蓮會，州人欲或謝師真，師左右轉，右目左轉，老少肥瘠，形色無定，竟不能狀。九月只福山縣立三光會，逐遊登州，登蓬來閣，與眾觀海市，忽颶風起，人見師隨風吹入海中，久之復出，冠服皆如故，觀者異之。乃立玉華會。[44]

由這兩次顯現神異的事蹟看來，顯現異能，確實成為王重陽創立全真教之初，非常有效的傳教策略。

神異的顯示既然是種傳教策略，對於全真的性命之學，也以神異示現其功，《金蓮正宗仙源像傳》對於王重

[44] [元]劉志玄、謝西蟾：《金蓮正宗仙源像傳》，22b，第 5 冊，頁 171。

陽的死，如此記載著：

> 正月初四呼四師來前曰:「吾今赴師真之約矣。」復說頌曰:「地肺重陽子，呼為王害風，來時長日月，去後任西東，作伴雲和水，為鄰虛與空，一靈真性在，不與眾人同。」言畢枕肱而逝。眾皆號慟，師忽開目起坐曰，何至於此，汝等學道猶未悟此耶。乃一祕訣五篇付丹陽。……書畢而化。[45]

全真的修行者窮畢生的心力投入性命雙修的道業，摒棄所有塵俗貨眷苦行勵志，為的是成仙的終極目標，擺脫由生而死的必然宿命，此一目標是否確實可能，王重陽以死後開目起坐，又傳祕訣五篇證明給徒眾看全真修行者的死亡，並非真的死亡，死亡只是形式，因此可以自行控制，死了還可以開目起坐。這種作為其實也是故顯神異，其目的顯然為了示現全真功法，確實可行，只要確實奉行，定能與虛空為鄰，與道合一，超越死亡。

《金蓮正宗仙源像傳》的敘述對於重陽的徒弟七真的傳道歷程中，也記載神異之事，傳文中直言王處一以神異度人。不過七真所顯的神異，並非只是逞能現異，而是有

---

[45] [元]劉志玄、謝西蟾：《金蓮正宗仙源像傳》，22a，第 5 冊，頁 171。

其深意。例如馬鈺於祖庭關閉四年後出關，到信徒家中閉關百日，百日後出關，施法讓一棵已經枯死的林檎樹，死而復活。馬鈺苦修有成出關行道後，首要的任務是傳道，在信徒面前展現神異能力，不外顯示他的道行，透過信徒的口耳相傳，對於他所傳的道增益其說服力。

除了以異能示人之外，全真道徒的異能，也表現在救人方面，譚處端初次與王重陽會面，重陽即治療他的宿疾，讓他全然信服，日後他也以治療他人疾病展現他的道行，《金蓮正宗仙源像傳》記載著以下事蹟：

> 十六年上洛州百家灘，以農夫病累月，治療無方，夢一道者與之紅藥，服之，覺而疾愈，次日見師愕然，曰此即夢中賜藥之師也。[46]

若譚處端只為救人，自然不需要第二天還出現在農人面前，可見救人是他行道之功也同時是傳道之法，顯現神異最易證明自己的道行，藉此說服他人依全真功法修行成道。

顯異的時機與對象，王重陽弟子們各有巧思，《金蓮正宗仙源像傳》中記載了一段劉處玄顯神異的記錄：

> 明昌二年，駙馬都尉僕散出鎮萊州，惑於讒毀，

46 [元]劉志玄、謝西蟾：《金蓮正宗仙源像傳》，28b，第 5 冊，頁 174。

> 令尉司欒武節，追捕下獄，俄市人見師於城南與道友接談如常日，鄭押衙王受事亦見之，意師逃出，往視獄中，師方熟睡，二人驚駭，以所見白都尉，都尉方悟師為有道者。[47]

故意在衙役面前顯示神異，透過官方人員的威權，建立其有道者的形象，可謂快速而便捷的方法。

丘處機在大定二十八年五月，應世宗皇帝之召，聞延生之理時，誠懇地回答：

> 惜精全神，修身之要，恭己無為，治天下之本。富貴驕淫，人之常情，所當兢兢業業以自防耳，誠能久而行之，去仙道不遠，誕詭幻怪，非所聞也。[48]

面對至高無上的當權者，丘處機並不以神異傳道，而是以平實的無為及仁德等觀念答覆，而且明言誕詭幻怪非所聞也。這代表丘處機不顯神異嗎？《金蓮正宗仙源像傳》於丘處機的傳記中，同樣有著神異的記載：

> 九月熒惑犯尾宿，宣撫王揖請師禳之，是夕熒惑

---

47 [元]劉志玄、謝西蟾：《金蓮正宗仙源像傳》，32b-33a，第 5 冊，頁 176-177。

48 [元]劉志玄、謝西蟾：《金蓮正宗仙源像傳》，30b，第 5 冊，頁 175。

退數舍。

丙戌五月大旱，行省請師祈禱，大雨三日。[49]

神異是種方便法，也是救世之法，面對不同的對象，度化的方法也有所不同，全真的信徒在王重陽創立各會時，以社會的中下階層為主。有出自於一般士族，有的是普通百姓；有人粗略識字，有人一字不識。這兩種不同層次的人對於道，可能有不同的了解與誤解，在引他們入道之前，必須有相當的說服力。顯現神異是最具說服力的方式，對中下階層的人而言，求道的目地比較單純，按法修道行道的阻力比較少，只要拋棄塵世老實修行即可，因此顯示神異讓他們親身經歷道法的神妙，即可說服他們相信人透過信道修道可以轉化生命。

在丘處機雪山之行後，全真成為全國性的教團組織，他們的信徒增加了許多達官貴人，這群人要按法修道、行道的阻力相對增大。如何能說服一個想要長生不死得以永遠掌握天下的君王，放掉手中的權力、放掉天下老實修行？如果不能讓他了解道的理則，他只會追求速成、追求捷徑，那是背道而馳的，這樣對君王自身與天下黎民都會是一場災難，所以丘處機不以神異顯能於君王之前，是智慧的展現。

《金蓮正宗仙源像傳》的敘述另一個重心則在於證

49 [元]劉志玄、謝西蟾：《金蓮正宗仙源像傳》，40a-b，第 5 冊，頁 180。

道。仙真傳記記錄的是仙真們以自身的性命追尋至道的歷程，這條追尋之路事實上是生命的實驗之路，修道者必須拿自己的生命當實驗，道法就是操作方法，如果成功，得到永恆的生命，失敗，失去了一生。

從全真道的信徒立場而言，這是個實證的路程，老實修行定會成功，派傳裏的祖師們一一展示成功的範例，也留下了成功的事證。證道詩詞就是這些成果的總結，前面所提正陽子、重陽子的詩詞頌訣，是他們證道的心得，同樣的，在七子的傳記中，也多出現了證道的詩詞：

> 能無為兮無不為，能無知兮無不知。知此道兮誰不為，為此道兮誰復知。風蕭蕭兮木葉飛，聲嗷嗷兮雁南歸。嗟世人兮日月催，老欲死兮猶貪癡。傷人世兮魂欲飛，嗟世人兮心欲摧。難可了兮人間非，指青山兮當早歸。青山夜兮明月飛，青山曉兮明月歸。飢餐霞兮渴飲溪，與世隔兮人不知。無乎知兮無乎為，此心滅兮哪復為。[50]
>
> (馬鈺)
>
> 交泰一聲雷，迸出靈光萬道，輝龍遇迅雷，重脫殼，幽微射出，金光透頂，飛一性，赴瑤池，得遇丹陽相從隨，顯現長真真，妙理無為，湧出陽

---

[50] [元]劉志玄、謝西蟾：《金蓮正宗仙源像傳》，25b-26a，第 5 冊，頁 173。

神獨自歸。[51](譚處端)

正到崢嶸處，爭如拂袖歸。我今須繼踵，回首返希夷。[52]（劉處玄）

生死朝昏事一般，幻泡出沒水長閒。微光現處跳烏兔，玄量開時納海山。揮斥八紘如咫尺，吹噓萬有似機閒。狂辭落筆成塵垢，寄在時人妄聽聞。[53](丘處機)

握固披衣候，水火頻交媾，萬道霞光海低生，一撞三關透，仙樂頻頻奏，常飲醍醐酒，妙藥都來，傾刻間，九轉丹砂就。[54]（清靜散人）

這些都是他們在化去之前，留下的詩詞，在留下的詩詞之前，依《金蓮正宗仙源像傳》的敘述，王重陽及七子對於自己得歸期，均有預知的能力，這是他們得道的證明，因為預知自己塵緣已盡，對於教團事務均能事先安排，在辭世前留下的證道詩詞，就是他們體悟至道的精華。馬鈺走過了艱辛的修行之路，體會了其中為與不為的奧妙所在，然而道可道非常道，縱使他致力傳道，也不能不嘆無法讓所有世人完全明白道的可貴與道的可行。譚處端和孫

[51] [元]劉志玄、謝西蟾：《金蓮正宗仙源像傳》，28b-29a，第 5 冊，頁 174-175。

[52] [元]劉志玄、謝西蟾：《金蓮正宗仙源像傳》，31a，第 5 冊，頁 176。

[53] [元]劉志玄、謝西蟾：《金蓮正宗仙源像傳》，35b，第 5 冊，頁 178。

[54] [元]劉志玄、謝西蟾：《金蓮正宗仙源像傳》，42a，第 5 冊，頁 181。

不二的證道詞，則是內丹修練達到證道境界的描述。丘處機的證道詞，則描述了與道合一的生命境界。

結語

《金蓮正宗仙源像傳》的敘述，傳承了史傳的敘述傳統，在篇末對於仙真的行誼以四言詩八句為總結，在短短的詩文裏，總結傳主的行誼，比對而言，像傳的內容，也是在短短的數千文字內，記載全真師徒悟道與證道事蹟，總結傳主的行誼與刊錄可資參考查對的事證。作為仙真傳記，繼承仙傳的敘述傳統，作為全真派傳，也與同質的派傳《金蓮正宗記》擔負同樣記錄宗派歷史的責任。後出的《金蓮正宗仙源像傳》編者，在資料的編排運用方面要比《金蓮正宗記》費心，必須避開《金蓮正宗記》已詳述的內容和事蹟，而呈現其參考價值，受到資料本身的影響，《金蓮正宗仙源像傳》的筆法和傳統的仙傳較近似，不同於《金蓮正宗記》雅贍的筆調。

在《金蓮正宗仙源像傳》整個敘述中，可歸納為出身、修行、行道及證道的主要結構，每個結構下的敘述重心，均隱藏著全真教的義理，回歸編者在序文中所闡述「因其所可傳，求其所不可傳」的觀念看《金蓮正宗仙源像傳》的敘述結構，也存在著可傳與不可傳的妙意。

本文刊於大葉大學通識教育中心《研究與動態》半年刊第 15 期。

道教養生之學的基礎理念

前言

道教是以人的生命實踐追求永恆為核心的宗教，長生成仙是道教的終極目標，道教的教義包含著道教徒對於人、精神、身體、人與自然、人和神等等的認識，道教的養生術也在這些觀念之下展現出道教徒對人、人和自然、人與神、人對精神、身體這些關係的處理與行為。

道教產生之前，在中國思想文化的土壤中，對於生命的探索與追尋，在養生長生的範疇中，已有相當多的概念，如重人貴生的觀念，先秦諸子，多有重人貴生的觀念，如墨家主張愛人，老子說道大、天大、地大、人亦大。道教繼承了這些思想，強調重人貴生，因此重視煉養身軀以求長生。

養生術並非道教獨創，也非道教獨有，然而道教徒的終極目標在於長生成仙，因此對於世間所有有益於延年益壽的知識，都積極學習與吸收，故而在文化資產的保存上，道教擁有豐富而珍貴的養生術。同時雖然長生成仙的目標非常遙遠，但是延年益壽卻是人類的本能需求，即使不是道教徒，也不排斥了解或進行起居飲食等日常生活中即可操作的養生方法。

所以道教的修仙術或許讓世人覺得充滿神祕色彩，道教的養生術倒是顯得平易近人，為世人所接受，關注於道教養生術的研究成果不少如：李豐楙〈葛洪養生思想之研究〉[1]、鄭志明＜太平經的養生觀＞[2]、鄭志明：〈道教生死觀——「不死」的養生觀〉[3]，王瑞瑾、王仁堂：〈探究道教和老莊思想的養生哲學〉[4]，莊宏誼：〈太極原理與養生〉

---

1 李豐楙：〈葛洪養生思想之研究〉，《靜宜學報》第9期，1980年6月。

2 鄭志明：〈太平經的養生觀〉，《鵝湖》第11期，民國89年5月。

3 鄭志明：〈道教生死觀——「不死」的養生觀〉，《歷史月刊》第139期，民國88年8月。

4 王瑞瑾、王仁堂：〈探究道教和老莊思想的養生哲學〉，《光武學報》第26期，民國92年3月。

[5]，丁婉莉：《葛洪養生思想研究》[6]，李翠芳《道教養生思想與老莊之關係——以葛洪《抱朴子內篇》為例》[7]陳攖寧：《道教與養生》[8]，韓建斌、韓廷傑：《道教與養生》[9]，郝勤、楊觀文《道在養生——道教長壽術》[10]，李似珍《靜心之教與養生之道》[11]這些研究成果有些針對道家與道教養生思想論述，或根據單一經典或思想家探究其中的養生思想，有的則是闡述一種養生觀，陳攖寧的專著，在第二編中才涉及養生，主要以各種養生功法的闡述為主，韓建斌、韓廷傑的《道教與養生》在理論部分，論述老子貴無守雌思想，陰陽學說、五行學說、臟象學說、經絡學說，郝勤、楊觀文《道在養生——道教長壽術》則在第二章及第三章，述及道教的養生理論。

上述的研究成果呈現出道教養生術，不是只有生命養護的具體實踐方法，在這些方法背後有其思想理論做為支架，而這些思想理論，則基於道教徒對於人、精神、身體、

---

5 莊宏誼：〈太極原理與養生〉，《輔仁宗教研究》第 2 期，民國 89 年 12 月。
6 丁婉莉：《葛洪養生思想研究》，高雄師範大學國文所碩士論文，2003 年。
7 李翠芳《道教養生思想與老莊之關係——以葛洪《抱朴子內篇》為例》，台南大學國文系，碩士論文，2005 年。
8 陳攖寧：《道教養生》，北京：華文，2000 年初版。
9 韓建斌、韓廷傑：《道教與養生》，台北：文津，1997 年初版。
10 郝勤、楊光文：《道在養生》，台北：大展出版社，2003 年 2 刷。
11 李似珍《靜心之教與養生之道》，台北：東大圖書公司，2008 年。

人與自然、人和神的認識與關係處理而來，本文擬將從重人貴生、天人合一、我命在我、形神相依、眾術合修、內功外行等分項[12]，依道教經文探討其養生思想的基礎理念，探究道教養生思想的基本內涵。

一、 重人貴生

「重人貴生」可以說是道教主要的宗教實踐活動，雖然有自我修煉成仙的神聖目標，但是卻與人體的養生保健緊密地結合在一起。[13]道教對於人在天地之中的地位，有著較高的定位，雖然萬物全是由道而生，稟氣而成，但是人得氣最靈的觀念，在道經中多有所見，《無上祕要》卷五引＜妙真經＞說：「一切萬物，人為最貴。」[14]《抱朴子內篇》說「有生最靈，莫過乎人。」[15]又說「陶冶造化，莫靈於人。」陶弘景於《養性延命錄序》中說：「夫稟氣合靈，唯人為貴。」《雲笈七籤》卷五十六＜諸家氣法＞云：「人與物類，皆稟一元之氣而得生成。生成長養最尊最貴者莫

---

12 此分項見於陳庭、李子微、劉仲宇編《道家養生術》上海：復旦大學出版社，1993 年，頁 3-19。

13 鄭志明著：《道教生死學》台北：文津出版社，2006 年，頁 86。

14 《無上祕要》卷 5，6a《正統道藏》，第 42 冊，台北：新文豐出版社，民國 84 年，頁 181。以下引道經，除《太平經合校》外，皆引新文豐出版之《正統道藏》。

15 [晉]葛洪：《抱朴子》，卷 3，台北：中華書局，民國 62 年，頁 1。

過於人之氣也。」[16]

何以人在萬物中，特別尊貴，道教是由氣的觀點解釋的，《雲笈七籤》卷二十九引<混元述稟篇>說：「夫人生於天地之間，稟二氣之和，冠萬物之首，居最靈之位，總五行之英，參於三才。」[17]雖然萬物均是由道而來稟氣而生，但是得二氣之和，是使人冠於萬物的關鍵。因此對於《道德經》的「道大、天大、地大、人亦大。域中有四大，人居其一焉。」[18]的觀念，道教認為，人具有參與天地化育的能力，也具有逆向返轉，回歸於道的能力，修煉成仙則是人的生命終極的目標，因此人在萬物之中是非常特別也是最重要的存在。

因此貴生的思想也從重人的思想基礎上建立起來，人既然那麼珍貴，自然認為人應該要重視生命、愛惜生命，相對地對於死亡這代表著生命終結的狀態則視為重大事件，《太平經》七十二卷云：

> 凡天下人死亡，非小事也。一死終古不復見天地日月也。脈骨成塗土，死命，重事也。人居天地

---

16 《雲笈七籤》卷 56，3a，第 37 冊，頁 683。

17 《雲笈七籤》卷 29，1a，第 37 冊，頁 419。

18 余培林：《新譯老子讀本》台北：三民書局，民國 78 年，頁 51。

之間，人人得一生，不得重生也。[19]

死亡之所以成為生命的重大事件在於生命只有一次，每個人只有一輩子，一旦死了，再不會有第二次生命了，這還是基於重生而來的觀念，生如此重要，死也就跟著重要。

基於生的重要性，樂生成為貴生必然的取向，因此《太平經》還有樂生最善的觀念，認為「人最善者，莫若常欲樂生，汲汲若渴，乃後可也。」[20]人最大的善是樂生，對於生命的愛好如渴者之汲汲於得水，才是正確的態度。

若從行善的角度看人的生命價值，通常會把焦點放在人對群體的貢獻與利益上，但《太平經》卻說「人最善者，莫若常欲樂生」這善似乎與他人及群體的貢獻及利益無關。然而沒有樂生為基礎，不可能實踐任何善行，亦即沒有對生命的愛做支撐，善行不會有動力。樂生就是對生命有愛，這是善的基礎，也是行善的動力，因此必須以汲汲若渴的心態長養樂生之心，才能成其善，也就是說生命本身即是善，樂生即是樂善，所以最善者會是常欲樂生。

愛好生命是一種觀念同時也是一種生活態度，而愛好生命的內容，則是以道的實踐為準則，司馬承禎在《坐忘

---

19 王明：《太平經合校》北京：中華書局，1979 年，頁 298。

20 王明：《太平經合校》，頁 80。

論》中說：「夫人所貴者生，生之所貴者道。人之有道，若魚之有水。」[21]生命的核心在於道，而道的展現則是有具體效法的對象——即天道，「今學道為長生，當純象天也。天者好生，故學長生者，純守天第一生之氣，其為行，當隨天道意也。……夫道者，乃大化之根，大化之師長也。故天下莫不象而生者也。」[22]生的可貴，並不在於只是活著，而是活得具有創造性，道的創造性展現在生的特質上，人的生命追求是師法於道的，因此也是著重在具有創造性的生上頭。

貴生的源頭來自於對自己生命的寶重，陳致虛在《元始無量度人上品妙經注解序》中說：

> 世人皆知悅生而惡死，既知惡死，則必思所以逃其死者。今乃不然，知惡死已，卻埋身於名利嗜欲之場而不知悔，是愈急其死也。既知悅生，必思所以求其長生久視之道者。今乃不然，知悅生已，卻不求真師指示長生返還之旨，雖只瞎走傍門，盲行邪徑者，是愈促其生也。[23]

悅生惡死是人的本能，也是長生不死的神仙思想對世

---

[21] [唐]司馬承禎：《坐忘論》，1a，第 38 冊，頁 617。

[22] 王明：《太平經合校》，卷 117，頁 80。

[23] [元]陳致虛：《元始無量度人上品妙經註解序》，4b，第 3 冊，頁 317。

人具有吸引力及說服力的原因，這種本能表現出對自己生命的保重，但是並不是具備此一本能，就能達成目標，出於此一本能，需進一步求長生久視之道，才能成全悅生惡死的願望，既知惡死，卻埋身於名利嗜欲之中，只是加速奔向死亡而已，並沒有創造生機。長生久視之道才能助人達成悅生惡死的願望，必求真師指示才能得長生之道。所以人的生命當著重在尋求真師指導以得長生返還之旨的要務上，《抱朴子》卷十四，＜勤求＞即明言：

> 天地之大德曰生，生好物者也。是以道家之所至祕而重者，莫過乎長生之方也。[24]

生的創造性表現在天地萬物的豐富多元上，即天地萬物是無限的，但是回歸到人的性命上，至要的大道也可以很具體地展現在人的自身上面，也就是個人的長生之道。《太平經》卷一〇二云：

> 人欲去凶遠害，得長壽者，本當保知自愛自好自親，以此自養，乃可以無凶害也。身得長保，飲食以時調之，不多不少，是其自愛自養也。[25]

以自愛自好自親的態度對待自己，即能去凶遠害得長

---

24 [東晉]葛洪：《抱朴子》，卷 14，1a，第 47 冊，頁 717。

25 王明：《太平經合校》，卷 102，頁 466。

壽，這是長生的方法，也就是將道的創造性落實在個人的生命對待上。個人的生命包涵了生理跟心靈的兩個要素，生理的保養在於飲食起居的調養，能對應時需，不多不少就是自愛的自養，心靈的養護，同樣需要自愛自親的滋養。

人是可貴的，生命是可愛的，在道教的理念中這是先驗的價值，因人的生命來自於道。道教的終極關懷是道，人的生命就是道的一部分，對人這個主體而言，尋道、證道的途徑，最直接而可行的自然是即身求道，即生證道。《太平經》說：

> 人命近在汝身，何為叩心仰呼天乎？有身不自清，當清誰乎？有身不自愛，當念誰乎？有身不自責，當責誰乎？復思此言，無怨鬼神。[26]

人對於自身的生命有責任，也能發揮主體性，這種自清、自愛、自責的態度，就是對自己的生命負責，也是生命的過程中，創造生命的方法。所以「重人貴生」自然是道教所關懷的重心，道教的養生理念也從這個理念出發。

道教「重人貴生」的觀念，以其氣化的宇宙觀為支柱，建構出人的特質及人與萬物之間的差異，從而展現人的價值，發展出人與自我、人與他人生命、人與自然的對待態度。可說「重人貴生」的觀念將道教這個追求長生不死的

---

26 王明：《太平經合校》，卷 110，頁 527。

宗教，聚焦在體會生命的難得與感受生命的可貴上，而人在其中擔負起對這個難得可貴的生命全部的責任，又再度表現出人的貴重特質。

二、天人合一

天人合一是道教養生術的核心思想，道教繼承先秦以來的天人合一的思想，把人和自然、社會，看成是一個整體，養生實踐著重在人的生活能否與自然和諧，若能與自然和諧，則人的生命在自然之中可以免除凶害。而人是否能活得與自然和諧，決定在人的行為是否符合天道，行為符合天道則必須先知天道，《莊子．秋水篇》中以河伯和海若的對話表達人與天道的關係：

> 河伯曰：「然則何貴於道邪？」北海若曰：「知道者必達於理，達於理者必明於權，明於權者不以物害己。至德者，火弗能熱，水弗能溺，寒暑弗能害，禽獸弗能賊。非謂其薄之也。言察乎安危，寧於禍福，謹於去就，莫之能害也。故曰，天在內，人在外，德乎天，知人之行，本乎天，位乎得；蹢躅而屈伸，反要而語極。」曰：「何謂天？何謂人？」北海若曰：「牛馬四足是謂天；落馬首，穿牛鼻，是謂人。故曰，無以人滅天，

無以故滅命，無以得徇名，謹守而勿失，是謂反其真。」[27]

道是宇宙的根源，也是天地的律則，知道才能通達事理，也才具備變通的能力，具備變通能力，就不會為外物所傷害。所以至德的人能擺脫所有自然界諸如水火寒暑以及各種具殺傷力的動物的傷害，並不是他靠近這些危險事物而不受傷，能免於傷害的原因是他會詳細審察安危的分際，平靜地應對禍福，謹慎考慮自己的行止，因此可以不受傷害。

天道雖然是客觀的存在根源，但人稟道而生，所以天機是藏在人的內在，而行為表現於外在，能夠以自然修養即得天之德，知道什麼是天，什麼是人，在天人之間做出對應，一切的行動都可隨順自然，處於自得的狀態，進退屈伸，都依自然的變化，就回到了道的樞要，觸及道的要義了。所以不要因人為而毀天機，不要因任何緣故而毀性命。不要因欲得而追求聲名，謹守這些原則，就能活得與自然和諧。北海若與河伯的對話中的天人合一概念，特別強調天人合一是先驗的，人只需了解天人合一這個事實，在行為中主動的合於天道，就能回歸於天道。

天人合一的觀念，除了從根本上論及人的生命遵循天

27 黃錦鋐注譯：《新譯莊子讀本》台北：三民書局，民國 88 年，頁 217。

道規範，即可與自然成一和諧對應關係外，也表現在具體的行事的指導上，《太平經》卷三十六言：

> 人生，象天屬配天也，人死，象地屬地也。天，父也；地母也。事母不得過父。生人陽也；死人陰也。事陰不得過陽。陽君也；陰，臣也。事臣不得過君。事陰反過陽，則致逆氣；事小過則致小逆，大過則致大逆，名為逆氣，名為逆政。其害使陰氣勝陽，下欺其上，鬼神邪物大興，共乘人道，多晝行不避人也。今使疾病不得絕，列鬼行不止也。其大咎在此。[28]

人間的行事必須和天道相符，否則會因人的行事而影響到自然環境。從家庭中的關係事母不得過父，到生死對應，事陰不得過陽，甚至於公領域中的關係，事臣不得過君，都與天地自然之氣息息相關。

人間行事不單單只是人間行事而已，連帶影響到天地之氣的運行，事陰過陽，就會產生逆氣的後果。人事的違逆會導致陰陽之氣的乖離。結果陰勝於陽，自然之序大亂，人與鬼神邪物之間的關係也因而混亂，對人的生存環境產生不利的影響，所以人的作為需以天為法：

---

28 王明：《太平經合校》，卷 36，頁 49。

> 今學道為長生，純當象天也。天者好生，故學長生者，純守天第一生之氣，其為行，當隨天道意也。[29]

天人合一的思想，落實在人的生活以及養生實務上，既是理論基礎，也是指導原則。無論是在人對人的關係，人對自然的關係，人與他界的關係，都有所展現。同時天人之間的關係，是透過氣的運作產生連結，天地萬物一切以氣相統，以氣相通。陰氣陽氣各有所管，人間一切事物，有形無形全在陰陽二氣的統合之下，天人之間則是以氣展現其合一的特質。

天人之間既是以氣相通，以氣相貫，道教在養生以求長生成仙的功法上，自然也以氣運行，與天相合，元代俞琰在《周易參同契發揮》中云：

> 觀天之道，執天之行。遂借天符之進退，陰陽之屈伸，設為火候法象以示人。蓋天地儼如一鼎器，日月乃藥物也。日月行乎天間，往來出沒，即火候也。人能即此，反求諸身，自可默會火候進退之妙矣。[30]

---

[29] 王明：《太平經合校》，卷 117，頁 661-662。

[30] [元]俞琰：《周易參同契發揮》，卷 2，1b-2a，第 5 冊，頁 362-363。

日月天地和人身同等，是天人合一的理念，見天地日月之行，而悟人身火候之進退，也是天人合一的理念。這種觀念，在追求煉氣的內丹經典中，經常可見。如《靈寶畢法》云：

> 道生萬物，天地乃物中之大者，人為物中之靈者。別求於道，人同天地，心比天，腎比地，肝為陽，肺為陰。[31]

人體五臟與天地陰陽是相對應的，在人體的運行自然也與天地同：

> 人身法象天地，其氣血之盈虛消息，悉與天地造化同途。《素問》云：平旦，人氣生日中而陽氣隆，日西，而陰氣已虛，氣門乃閉。又云：月始生，則血氣始精，衛氣始行。月廓滿則血氣實，肌肉堅。月廓空，則肌肉減，經絡虛，衛氣去，形獨居。是故，天地有晝夜晨昏，人身亦有晝夜晨昏；天地有晦朔弦望，人身於有晦朔弦望，其間寒暑之推遷，陰陽之代謝，悉與天地胥似。[32]

天人合一的理念透過人體跟天體的相類相通展現，進

---

31 《祕傳正陽真人靈寶畢法》，卷上，3b，第47冊，頁915。

32 [元]俞琰：《周易參同契發揮》，卷5，13a，第34冊，頁399。

而表現在人學道養生的實作上，必須以天相合：

> 夫人生體，上稟乎天，下象乎地。日月則有幽明之分，寒暑則有生殺豪氣，雷電則有出入之期，風雨則有動靜之節，人則有賢愚之質、善惡之性、剛柔之氣、壽夭之命、貴賤之位、尊卑之序、吉凶之證，窮達之期。天地無人不立，人無天地不生。天地無人，譬如人腹中無神，形則不立，有神無形，神則無主。故立之者天，行之者道。人性命神，同混而為一，故天地人三才成德，為萬物之宗。天不可不養生，地不可不長物，人不可不攝氣而養生也。[33]

道教天人合一的理念，不僅出示天人之間相類相通，更進一步的天地人合而成就萬物。因此養生不僅只是人的本能需求，同時也是宇宙之所以成的重要因素，把人的生命價值與意義，提高到參與天地化育之功的層次。

當人進入參與天地化育的生命層次，就不僅是脆弱的萬物之一，微不足道的個人而已，而是肩負了「助天生物，助地養形也。」[34]的任務，成三才之德。可見天人合一的養

[33] [元]俞琰：《三天內解經》卷上，1a，第 48 冊，頁 79。
[34] 王明《太平經合校》卷 35，頁 36。

生理念，同時也是道教追求長生成仙，與道合真的終極關懷，人與天合是修道者實修的具體作為，也是最終目標，天人合一是集目標、規範、方法於一體的養生概念。這三合一的理念，在道教養生的實踐操作中，無論是外丹、內丹、服食、起居、或是房中、導引、服氣等眾多養生術中都有展現。

三、我命在我

道教以長生不死為終極關懷，其神仙思想及修仙理念，面臨最嚴格的考驗，即是來自於人類自古以來有「生則有死」的經驗法則。「人生自古誰無死」的認知普遍存在於世人的觀念中，生死不由人的哀歎，也遍存於世人的心中。不僅生死，甚至於人生的遭逢，人們也有操之於天的感受。

在道教產生以前，中國即有天命思想，《尚書》云：「我生不有命在天」[35]《論語·顏淵篇》認為：「死生有命，富貴在天。」[36]《莊子》也說：「知其不可奈何而安之若命，德之至也。」[37]只有《墨子》認為事情的成敗，應從人為之力上考量：

---

[35] 《尚書》卷十＜西伯戡黎＞，見《十三經注疏》，第 177 頁。
[36] 程樹德：《論語集釋》北京：中華書局，1990 年，頁 830。
[37] 黃錦宏註譯：《新譯莊子讀本．人間世》，頁 48。

> 故昔者禹湯文武方為政於天下之時，曰：「必使飢者得食，寒者得衣，勞者得息，亂者得治。」遂得光譽令問天下，亦豈以為命哉，故以為其力也。今賢良之人，尊賢而好道術，故上得王公大人之賞，下得其萬名之譽，遂得光譽令問於天下，於豈為命哉，又以為力也。[38]

墨子以歷史事件說明，如果一切由命，那麼人的生命在天地之間即缺乏自主性，事實不然，從過去的事例中，人們可以經驗到人為之力，對於自身事物的發展有影響力，並非只有天命決定了人事。

道教在傳統文化的土壤中養成，對於命定思想，雜糅各家，並與自身教義融會，承認有所謂命運，在其神仙體系之中有司命之神、司命之星君，掌握人生禍福與生死。如《秤星靈臺祕要經》云：「人生貴賤稟星推，限數交宮各有時。」《太上玄靈北斗本命延生真經》說「凡人性命五體，悉屬本命星官之所主掌。」道教神學中，又有「學仙有種，傳經有分」的思想。[39]

然而道教的神仙思想是以長生不死為人生追求的終極

---

[38] 吳毓江撰、孫啟治點校《墨子校注．非命》下，北京：中華書局。1993年，頁424。

[39] 呂鵬志：《道教哲學》台北：文津出版社，2000年，頁194。

目標，必然要突破生死定則，生死的掌握不可能絕對在命運之手。前引《太平經》「人命近在汝身，何為叩心仰呼天乎？」已經清楚地提出人比天更具有成全自己生命的責任與能力的觀念。《西昇經》假託老子說：「我命在我，不屬天地。」[40]葛洪在《抱朴子》內篇中也說：「我命在我不在天，還丹成金億萬年。」

道教這些表面上看起來矛盾衝突的命運觀，事實上統合在道的本體觀下，有其自身的內在理路。道是一切根源，而道的運作，由氣而行，能夠掌握這一機要，那麼命運不能左右人的生死，不能掌握此一機要，則隨氣耗散，生死由天。所以李榮在《西昇經集注》中，如此注解以下經文：

> 老子曰：「我命在我，不屬天地。」
> 李榮曰：「天地無私，任物自化。壽之長短，豈使之哉，但由人行。有善有惡，故命有窮通。若能存之以道，納之以氣，氣續命不絕，道在則壽自長。故云『不屬天地』。」
> 老子曰：「我不視、不聽、不知，神不出身，與道同久。」
> 李榮曰：「不視故不為色盲，不聽故不為聲所聾，不知故不為智所困。絕聲色而清淨，去分別而無

40 《正統道藏‧西昇經卷》下，6a，第19冊，頁262。

為，神不離人，故云『不出於身』。身將神合，命與道同，故云『長久』。所言不屬天地，其行如是，遂與道同。」

老子曰：「吾與天地分一氣而治，自守根本也。」

李榮曰：「萬物俱資於大道，三才同稟一氣，而人皆逐末，逐至傷身。老君守本，故能成道。若能法聖人而行，虛極自然可致也。」[41]

《西昇經》雖是假託老子之言，但以老子思想作闡發，道徒更以道教養生思想發揮《西昇經》中的老子思想。李榮指出從天地無私的角度看待人的生命，其長短來自於人如何運行生命，人的行善為惡，造成人生過程中窮困通達的差異，能夠以道存養生命，納氣保養身體，有氣存於身就不會命絕，與道俱同就能長壽。

從道的角度看，稟道而生的人，應該與道長存。但是人有視、聽、智能活動種種作為，這些作為是人與道不同之處，也是人喪失本根一氣的原因。世人追逐於人的作為，老君守住道的根本，這是老君之所以成道，世人之所以失氣而死的原因。因此生死的關鍵不在於天或道，在於人的行為。人的行為對於生命的影響，分成兩個部分，一是身體的保養或傷害，二是招禍或積福的後果。

---

41 [唐]李榮：《西昇經集注》卷五，8a，第24冊，頁573。

在身體的使用方面，陶弘景的《養性延命錄》說：

> 夫形生愚智，天也，強弱壽夭，人也。天道自然，人道自己。始而胎氣充實，生而乳食有餘，長而滋味不足，壯而聲色有節者，強而壽。始而胎氣虛耗，生而乳食不足，長而滋味有餘，壯而聲色自放者，弱而夭。生長全足，加之以導養，年未可量。道機曰：「人生而有命長短者，非自然也。皆由將身不謹，飲食過差，淫佚無度，忤逆陰陽，魂神不守，精竭命衰，百病萌生。故不終其壽。」[42]

關於先天對人的影響，陶弘景認為在形貌智愚方面是天道自然，但是強弱壽夭並不是先天因素，是人道自己的。也就是說人的壽命長短，主權是在自己手上，關鍵在於是否養生得法，如果飲食有節，起居有度，又不貪聲色，即可健康而長壽。反之在長養的過程不懂養生，自然虛弱而短壽。

除了自然壽命之外，人還可以擴充自己的生命，加之以導養，就可以無限延長生命。所以人的壽命長短並非全憑自然，壽命不長的人是因為他們運用自己的身體不謹

---

[42] [梁]陶弘景著，曾召南注譯：《新譯養生延命錄》台北：三民書局，2006 年，頁 30。

慎，無論是飲食或是慾望方面，全部違反陰陽之道，以至於耗損精神，百病叢生。過度耗損的身體和注重養生的身體，在生命面臨考驗時，有著截然不同的結果：

> 仙經曰：「我命在我不在天。」但愚人不能知此道為生命之要。所以致百病風邪者，皆由恣意極情，不知自惜，故虛損生也。譬如：枯朽之木遇風即折，將崩之岸值水先頹。[43]

生命之要在於我是否發揮主體的作為，若不發揮主體的作用依道養生，隨順情慾侵害生命，不知自我愛惜生命，當然只能敗死。

道教對於養生的實踐，強調我命在我不在天的觀念，確立其神仙信仰的真實性，此一真實性在道徒而言視為信仰。為此信仰，歷世以來的道士均以其寶貴的生命付諸於實踐的實務操作上，或是外煉丹藥服食，或是內煉真氣成丹，因此《太上靈寶五符序》說：「夫人是有生最靈者也，但人不能自知，不能守神，以御眾惡耳。知之者，則不求佑於天神，止於其身則足矣。」[44]這段話明說人自身有足夠的能力守護自身。而守護之道，非常簡易，《雲笈七籤》云：「仙經曰：『我命在我，保精受氣，壽無極也。』又

---

43 [梁]陶弘景著，曾召南注譯：《新譯養生延命錄》，頁 33。

44 《正統道藏．太上靈寶五符序》卷下。20a，第 10 冊，頁 762。

云：『無勞爾形，無搖爾精，歸心靜默，可以長生，生命之根本，決在此道。』」[45]從這些經文中可以看出，雖然人皆生而有死，但此一普遍經驗法則並非不可超越的定則。而是人隨順自己天生的情思，極情恣欲，不加養護生命時必然由生而死；若是懂得生命之道，以合乎於道的方式運轉生命養護身體，則將生命的運轉引導於歸向大道的路上，則可以與道同在同為不朽。《老子想爾注》，很清楚地體現這個概念：

> 求長生者，不勞精思求財以養身，不以無功劫君取祿以榮身，不食五味以恣，衣弊履穿不以俗爭即為後其身也。而目此得仙壽，獲福在俗人先，即為身先。[46]

世人因不解生命根本，以現象世界的一切當作生命本身的必然需求，其實是耗損生命以養身，所以普遍經歷由生而死的人生路途，修道者依循生命的根本理則，將自身生命活出不同於世俗的內容，將自身以不同於世俗的運用，當然可以跳出世俗經驗法則，進入大道的特殊律則。

---

[45] 《正統道藏·雲笈七籤》卷 56，<諸家氣法·元氣論>。12b-13a，第 37 冊，頁 688。

[46] 顧寶田注譯：《新譯老子想爾注》台北：三民書局，民國 91 年，頁 25。

即萬物皆有生死，大道無死。

「我命在我」的觀念，強調人具備自己生命的主體性，所有養生方法必須要藉由人的作為才能作用於自身，所以道經中「我命在我」的理念通常出現於養生修道的可行性之論述或養生方法的實踐上，強化神仙思想的信仰。

四、形神相依

道教的思想核心在於長生成仙，欲達此一目標首先必須解決生死問題，人的生命有精神和肉體兩方面的具體展現，在道教中以「形」和「神」指稱。道教認為形體是由氣凝結而生的，也是氣之所依。《長生胎元神用經》說：「形之所恃者，炁也。炁之所依者，形也。炁全形全，炁竭形斃。」[47]氣除了生形之外，也能生精神，《太平經》說：「夫人本生混沌之氣，氣生精，精生神。」[48]《老子想爾注》說「結精為神，欲令神不死，當結精自守。」[49]所以形神的共同本質是氣，因此，形神本質上是相通的，即形神通於一氣。

因此道教在修煉時，強調形神同時而修，表現出形神相依的理念，在《莊子》的＜在宥篇＞中，廣成子告訴黃

47 《正統道藏．長生胎元神用經》，9b-10a，第 57 冊，頁 537。

48 王明《太平經合校》，頁 739。

49 顧寶田注譯：《新譯老子想爾注》，頁 19。

帝他的長生之道說：

> 無視無聽，抱神以靜，形將自正。必靜必清，無勞女形，無搖女精，乃可長生。目無所見，耳無所聞，心無所知，女神將守形，形乃長生。[50]

神對於形的作用在於守護，但是神必須清靜自守，才能發揮守形的功能，而形的勞動會使神處於動蕩不安的狀態，導致無法發揮守形的功能。因此廣成子強調形無視無聽，讓神安居於其中，形才能自正。

雖然神具有守護形體的功能，但是形體是神所依託的宅器。葛洪說：「有因無而生焉，形須神而立焉。有者無之宮也；形者，神之宅也。」[51]

形神除了互相依存，更是生命存在與否的關鍵，陶弘景在《養性延命錄》中說：

> 夫神者生之本，形者生之具也。神大用則竭，形大勞則斃。形神早衰，欲與天地長久，非所聞也。故人所以生者，神也。神之所以托者形也。神形離別則死。[52]

---

50 黃錦鋐注譯：《新譯莊子讀本》，頁 136。

51 [晉]葛洪：《抱朴子・內篇・至理》卷 5，1b，第 57 冊，頁 666。

52 [梁]陶弘景著，曾召南注譯：《新譯養生延命錄》，頁 41。

人的生命透過形與神的運作而展現，而形神互相依存，互為表裏。對生命來說形神不可或缺，形展現生命的外在具象實體的部分，神表現生命的內在抽象精神的活動。沒有內在的精神，形只是物，沒有外在的實體，精神不能顯現，所以形神互離不能成其生命，亦即形神相離，生命將會敗亡。因此《西昇經》說：「形不得神，不能自生，神不得形，不能自成。」[53]

從形神為生命要素的理念發展，形神相合則生，相離則死，道教形成了以形神煉養為重心的養生理念，認為只要形神不離生命就可以續存，持續做到形神不離，生命就可以不死。在道教養生實踐理論上，有許多形神相守、形神統一、形神不離的功法，創立了許多守神保形的修煉術，達到形神不離的目的。如《太平經》的守一法：

> 人有一身，常與精神合併也。形者乃主死，精神者，乃主生。常合即吉，去則凶。無精神則死，有精神則生。常合即為一，可以長存也。常患精神離散不聚於身中，反令使隨人念而遊行也。故聖人教其守一，言當守一身也。

「守一」是將自身與精神合而為一，形神雖然是生命

---

53 《正統道藏．西昇經》，1a，第19冊，頁26。

兩端的展現，但統合在生命之中，以氣為共通特質，所以有統合的先決條件。《太平經》的守一法，就是建立在形神統一的理念上，認為身與精神可以合併，而且形神合併是生命要素。同時也提出，形神不能合一，原因來自於人的意念，精神會隨順人的意念遊走，只要意念集中，精神就不會遊走。守一法就是把人的意念，集中於身，這就是形神合一的具體操作原理。

形神互相依存、形神互為表裏，當然形神也互相影響，其影響關鍵在於氣，因此道教的修煉術，有諸多氣法。隨著功法不同其應用方式有異，有重調心練氣的內丹諸多修煉功法，也有著重練形養氣的導引服食諸方。在落實到生命煉養實務操作時，必須有次序先後，內丹有先性後命、先命後性的不同，導引有動靜的差異，卻都有身心操作的先後次第以及互相影響、互相牽引的特質。

可見即使受限於人生命具體展現的有限性，道教養生在實務的運作上，必須區分出形神的次序，但是形神無法截然劃分。養神必然要和形體配合，形太勞，神不足以安，養形，必定關注於神，神過度役使，身必然不寧。

因此儘管道教創立了許多養生方法，有的側重形體的煉養，如服餌、導引、行氣、辟穀、吐納、胎息、房中；有的著重於精神的鍛煉、如存思、存神、坐忘、心齋等。形神合一的理則是相同的，不論強調形或強調神，都建立在形神相合的目標上，而形神相合的終極目標，則又是朝向與道相合的終極關懷上。

《太上洞玄靈寶三元品戒功德輕重經》云：「身神併一，則為真身，歸於始生父母而成道也，無復患也，終不死也。」[54]《太上老君內觀經》也說：

> 道無生死，而形有生死，所以言生死者，屬形不屬道也。形所以生者，由得其道也。形所以死者，由失其道也。人能存生守道，則長存不亡也。[55]

形神均由氣而生，氣則是道的有形呈現，形神相合是透過人的生命有形與無形相合，將氣精化回歸於道的具體運作，生命就可以像道一樣不死，所以說人命停留在生死的限制中，不屬於道。但形之所由生，來自於道，得道即得以生，失道即死。

形神相守，是人突破生命限制向道回歸的方法，形神相依則是這方法的理論根源，這理論根源背後呈顯了道的有與無兩者兼具的面相，也就是說形與神是道的有與無在人生命中的呈現。所以人的生命有著道的屬性，故而形神相依，才成其生，形神相守才返其道。

---

54 《正統道藏．太上洞玄靈寶三元品戒功德輕重經》，34a，第 11 冊，頁 759。

55 《正統道藏．太上老君內觀經》，5a，第 19 冊，頁 87。

五、眾術合修

眾術合修是道教養生方法的重要概念，在先秦時期已經出現許多神仙方術的長生方法，道教將這些傳統的養生方法，統合在自身教義系統下，博采眾術，繼續在自身的修煉實踐中發展各種養生方法。

眾術合修的概念，在《太平經》內已有呈現：

> 請受靈書紫文，口口傳訣在經者有二十四：一者真記諦、冥諳憶，二者仙忌譯存無忘，三者采飛根、吞日精，四者服開明靈符，五者服月華，六者服陰生符，七者拘三魂，八者制七魄，九者服皇象符，十者服華丹，十一者服黃水，十二者服回水，十三者服食鐶剛，十四者食風腦，十五者食松梨，十六者食李棗，十七者服水湯，十八者鎮白銀紫金，十九者服雲腴，二十者作脯，二十一者作鎮，二十二者食竹尹，二十三者食鴻脯，二十四者佩五神符，備此二十四，變化無窮，超凌三界之上外，游浪六合之中。災害不能傷，魔邪不敢難。[56]

[56] 王明：《太平經合校》，卷 1-17，頁 8。

在二十四經訣之中，光是服食也有數種，符、氣、水、丹藥、礦石、金屬、果實、動植物等，佩帶神符需二十四要件才可成仙。這種眾術合修的理念，說明了修仙並非易事，其內容之多，一方面顯現仙學之深，另一方面則見成仙之難。深，非一般可及；難，非凡俗可成，既表現出仙學的可貴，也說明神仙希有。

葛洪的《抱朴子》中，多篇言及眾術合修的概念，認為偏修者不得仙：

> 不得金丹，但服草木之藥及修小術者，可以延年遲死耳，不得仙也。或但服草藥，而不知還年之要術，則終無久生之理也。或不曉帶神符、行禁戒、思身神、守真一，則止可以令內疾不起，風濕不犯耳。若卒有惡鬼、強邪、山精、水毒之害，則便死也。或不得入山之法，令山神作禍，則妖鬼試之，猛獸傷之，溪毒擊之，蛇蝮螫之，致多死事，非一條也。或修道晚暮，而先自損傷已深，難可補復。補復之益，未得根據，而疾隨復作，所以克伐之事，亦何緣得長生哉？

對於服食，葛洪認為金丹才能達到長生不死的效果，所以一定要得金丹。但是草木之藥及其他小術，可以延年遲死，在未得金丹之前，延年遲死才有機會爭取煉得或求得金丹的時間，因此這些方術仍有修習的必要，只是不能不知更進一步長生不死的金丹之道。

然而古人認為人的生命並不是只有自然老死的威脅而已，還有許多來自於無形界的山精、惡鬼、邪怪、妖毒之害，佩帶神符則可以避免這方面的傷害。至於思身神，守真一，行禁戒，則有助於個人內在疾病的預防。除此之外，自然環境對脆弱的人體也可造成生命的威脅，道教對這些傷人性命的因素都有預防或對治的方術，若想長生不死，當然必須一一修習。其作用與目的葛洪在＜微旨＞篇中，說得非常明確：

> 或曰：方術繁多，誠難精備，除置金丹，其餘可修，何者為善？抱朴子曰：「若未得其至要之大者，則其小者不可不廣知也。蓋藉眾術之共成長生也。」[57]

眾術可以共成長生的觀念，建立在對道的體認之上，葛洪認為這正是對道的學習：

> 夫陶冶造化，莫靈於人，達其達淺者能役用萬物，得其深者，則能長生久視。知上藥之延年。故服其藥以求仙。知龜鶴之遐壽，故效其導引以

---

57 [晉]葛洪：《抱朴子》卷 6，3a，第 57 冊，頁 671。

增年。[58]

道的顯現多端而繁複，人在向道的歷程中，也有多方經驗，有些人領會深，有些人領會淺，但只要是對道的領會，都對人有益。有些方法的結合可達加乘的效果，這是葛洪對於眾術合修之所以必要的看法：

> 服藥雖為長生之本，若能兼行氣者，其益甚速，若不能得藥，但行氣而盡其理者，亦得數百歲。然又宜知房中之術，所以耳者，不知陰陽之術，履為勞損，則行氣難得力也。

金丹大藥可以改變人的體質，讓人成就不死的生命，但是金丹的服食有其時程，行氣則可以加速金丹轉變體質的速度。事實上金丹上藥難得，行氣之術較為通行，因此若不能得金丹，正確修煉行氣之道，也可得數百歲的壽命。但是行氣之人若懂房中之術，就不會因房事而損氣，影響行氣之功。所以眾術之間，看似各言其說各行其事，卻都是針對人體而作的修煉方式，有互相連通的部分，可互為補益，故而有修習眾術之必要。

道教的眾術合修，除了實際的功法操作之外，也包含心理的修養，《周易參同契》即有明言：

---

58 [晉]葛洪：《抱朴子》卷 3，1a，第 57 冊，頁 649。

> 惟昔聖賢，懷玄抱真，服食九鼎，化洽無形，含精養神，通德三元，精液湊理，筋骨致堅，眾邪辟除，正氣常存，累積長久，變形而仙。[59]

心理的修養也是修煉的內容，是基於形神相依，互相影響的理念，形的修煉眾術合修，神的鍛煉自然也眾術合修。陶弘景在《養性延命錄》中將形神的眾術合修，說得非常具體：

> 彭祖曰：道在不煩，但能不思，衣不思，食不思，聲不思，色不思，勝不思，負不思，思不失，得不思，榮不思，辱不思，心不勞，形不極。常導引、納氣、胎息，爾可得千歲。欲長生無限者，當服上藥。[60]

張湛《養生集序》中也說：

> 養生大要，一曰嗇神，二曰愛氣，三曰養形，四曰導引，五曰言語，六曰飲食，七曰房事，八曰反俗，九曰醫藥，十曰禁忌。[61]

---

59 [東漢]魏伯陽：《正統道藏．周易參同契》，卷下，1a，第 34 冊，頁 195。

60 [梁]陶弘景著，曾召南注譯：《新譯養生延命錄》，頁 41。

61 同前註，頁 89。

同樣也是統合身心的眾術合修之道，從道教養生的眾術合修理念，可以看出道教在追尋長生成仙的實踐上，繼承了多元的傳統修仙方術，對於傳統的修仙法一方面學習發展，另一方面則以其教義統合，成為與教義相符的修煉體系，符合其形神相依的生命理念，又具備仿效大道的多元特質。

道教修道的目的在長生，先秦時期，先人為了尋求長生已經實踐過大量方法，道教由於有較具系統的教義思想和明確的長生目的，因而能全面繼承這些養生方法，博采眾長，不偏執一家，並且在修煉實踐中全面推行各種養生方法。眾術合修是道教養生的一個重要原則。它要求用不同方法、結合不同流派來進行養生修煉，其中包括養生諸因素時、兼顧生理、心理、自然和社會各方面影響，兼修各種方法，反對單習某種方法。[62]此外養生畢竟是以人的身心為操作對象，人身心的差異性本就存在，道教養生既是繼承先人養生方術，基於文化傳播的變異性及因應個人本身的差異性，自然會在操作過程中出現調整雜揉的創造性應用現象，故而自然形成眾術合修的理念。

62 李似珍：《靜心之教與養生之道》台北：東大圖書公司，2008 年，頁 35。

六、內修外行

道教徒在修煉形神，追求長生成仙的歷程中，心性修煉方面也要求內在涵養與施行於外、化育世人、積善立功同時具備，以達成名列仙班的最終目的。修煉成仙代表的是把人的生命提升到與道合同的完美境界，生命兼具形神，對人而言完美的生命，自然不可能只是形體不老不死的完美而已，必然也包含了心性的提升擴充合於道德的層面。

在心性尚未進入合道之前，人世間的道德標準，則是心性鍛鍊的指導方針。《太平經．大壽誡》言：

> 作善有孝慈，使各竟其年或得增命，子孫相次，無中夭時。天用是為善之行所致，不當比之邪？何為作非邪？施於人乎？天甚憎惡之，輒使絕命，子孫得咎，是惡之所致，欲何所望。天喜善人，不用惡子。[63]

善行是符合天道的作為，修仙的目的在於與道合同，方法自然是觀天而行，所以天喜善人，行善可得天福，為天所用。

善行可為天所知，所以人在修煉成仙之前，必須多積

[63] 王明校：《太平經．大壽誡》，卷114，頁616-7。

善功，葛洪在《抱朴子・對俗篇》中，詳細說明為善和成仙之間的關係：

> 或問曰：「為道者當先立功德，審然否」？抱朴子答曰：「有之。按玉鈐經中篇云：『立功為上，除過次之。』為道者以救人危使免禍，護人疾病，令不枉死為上功也。欲求仙者，要當以忠孝、和順、仁信為本。若德行不修，而但務方術，皆不得長生也。行惡事大者，司命奪紀，小過奪算，隨所犯輕重，故所奪多少也。凡人之受命得壽，自有本數，數本多者，則紀算難進而遲死，若所稟本少，而所犯者多，則紀算速盡而早死。又云：『人欲地仙當立三百善，欲天仙，立千二百善。若有千一百九十九善，而忽復中行一惡，則盡失前善，乃當復更起善數耳。』故善不在大，惡不在小也。雖不作惡事，而口及所行之事，乃求責布施之報，便復失此一事之善也。若不服仙藥，並行好事，雖未便得仙，亦可無卒死之禍矣。[64]」

行善和成仙之間的關係，來自於紀算的增奪，行善增算，行惡奪算，而紀算之多少決定人命壽歲的長短，《太

---

64 [晉]葛洪：《抱朴子》，卷3，8a，第57冊，頁653。

平經》認為人天生的紀算有定數，行善行惡則會對算紀有所增損。同時所謂的善是以對世人有益而言，因此救人免禍是善，護人疾病也是善。世俗認可的價值忠孝、和順、仁信等，有益於世間和諧之事全是善。善惡的紀錄，則由司命之神掌管。

道德修養對世人而言，除了建立社會秩序，促進人與人之間關係和諧之外，更展現出人心品質善良的意義，品質良好的人，長生不死，才能發揮扶助天道的功能，與天道生生的創造性相符。成仙是人整體的提昇，自然包含品性的提昇，因此修行之路，必然涵蓋人品的鍛鍊。道教將這種鍛鍊，融攝於戒律之中，用具體的行為規範，要求修道者在日常生活中實踐品格提昇的具體事項，透過實際的行為展現生命的崇高性，因此明列了具體事項，如葛洪在《抱朴子・微旨》中所云：

> 然覽諸道戒，無不云欲求長生者，必欲積善立功，慈心於物，恕己及人，仁逮昆蟲，樂人之吉，愍人之苦，賙人之急，救人之窮，手不傷生，口不勸禍，見人之得，如己之得，見人之失，如己之失，不自貴，不自譽，不嫉妒勝己，不佞諂陰賊，如此乃為有德，受福於天，所作必成，求仙

可冀也。[65]

追求長生成仙者，強調生的延續，其所行事，必以生為要務，積善立功的方法，自然以生生為念，首重慈心於物，對萬物有慈愛之心，才能成就萬物之生，所以能善待於人，甚至於愛惜昆蟲的性命。這種胸懷必從心中所思所感出發，樂於成全別人的好事，具同理心，悲愍他人的痛苦，不會害及任何生命，言行舉止審慎小心，樂於成就所有好事，謹慎避免口成禍事，不自我中心，不嫉妒於人。這些都是俗世的品格要求，但也正是展現人品可貴之處，具備這可貴的人品，延長生命到永恆，才是完美的生命。

從道教的終極關懷道的內涵，看道教強調內修外行，認為積善立功有助成仙的觀點，仍是將天道的內涵落實在修行生活中，具體透過人的行為表現天道，天道就在人道中展現。

內修外行的強調在道教養生學中的意義在於：人把天道的內涵，具體地表現在「人與世界的對應」上——與道同步。亦即道生萬物，長養萬物，人學習道的精神，從內在到外行，都體現道生長萬物的特質，以無限的包容、接受和支持對應世界。當然這無限的包容、接受和支持也對應到自身的生命。

---

[65] [晉]葛洪：《抱朴子》，卷 6，6a-b，第 57 冊，頁 673。

結 語

道教養生之學，由「重人貴生」的本位理念出發，強調生命的可貴，生命的可貴在貴生理念中，是無條件的，也就是說生命本身即是價值所在。而人在萬物之中，卻不同於萬物之處即在人具有仿效天地的能力，以及透過後天修習回歸於道，從而參與大道化育萬物，成就天地人三才共生之德。「重人貴生」的觀念確立了人生命可貴，人生命可擴展提昇，人生命可經由後天修煉突破死亡的定則，進向無限超越生死的概念。

人的重要性和生命的貴重性同樣具有根源性，道教將「天人合一」放在人的生命價值與意義論述中，展現人與天地同氣，與宇宙同體，均以道為本源，以氣相通於一。人生命的運作與發展律則和天地有同一規則，也有其必然的依歸，那就是回歸於道。天人合一的觀念是養生的理念同時也是養生的方法。在概念上是理則，在實踐上與天地同步，可以開展出具體的運作策略和技術。

「我命在我」的思想則是養生理念進入實作層面的信念，此一信念同樣建立在道教的本體論以及「天人合一」的前題下。人稟道而生具有道性，此一道性不滅，透過後天修持，可擴展此一落實在人身之道性回歸大道。這種擴展的能力在於人，人發揮這種能力，就可以讓自身的生命，從物種有生就有死的普遍律則跳脫，進入大道從而不死，展現於人的生命中，也就完成與道合真的任務。

「形神相依」的理念則是道教養生進入實務操作時，面對人的精神與生理兩種面向的生命呈現之對應。不同於其他宗教追尋精神的超脫，道教認為生命的提昇無法將精神單獨拔昇，因道教對於人生命源頭的理解是氣的存有。氣結為精神，氣也成就肉體，精神與肉體的氣均源自於大道，是通連為一體的。所以形神不能分離的背後，代表著氣的完整性。

縱使進入實際的養生功法運作層面，基於人身的限制需分解先後次第，先進行形的修煉或先著重神的鍛鍊，而產生性命雙修理念上「先性後命」或是「先命後性」的差異，但在形神互相依存，互為表裏的實際影響下，身體和心理的煉養無法偏廢其一，因此在道教的養生功法中「形神相依」為必然出現的理念。

道教的養生是一種實務操作，其根源來自於傳統的養生文化，人的生理存在著個別差異性，人群對於生理的認知也存在著認識方法上的差異，自然產生許多不同的養生方術。道教以長生成仙為終極目標，繼承傳統文化中多元的養生術，統合在其教義思想之下，形成眾術合修的理念，有其客觀思維，也呈現其對修煉成仙的強烈渴望。在得道成仙之前，任何一種有益生命或具有保護生命能力的知識都有學習實踐的必要。因為生命的問題多端，生命的挑戰多項，生命的養護眾術合修，是為了以防萬一。

道教追求生長，並非只是活著而已，而是要活得美好。道教的本體論確立了萬物一體的最高原則。因此，生命提昇的工程，最終是所有生命均得提昇。個人在進行生命提昇之時，就已需提昇他者的生命，這是人從個人進入道必然的歷程。道教以「內修外行」的理念，用戒律將內修外行的理念融入求道者的日常生活之中。因此在道教的養生理念之下：一個求道者，在學習的過程中，已是大道的展現。人就是在這些展現的過程裏認知道、體會道，最終才能與道合一。

本文宣讀於 2009 年 5 月佛光大學主辦第一屆生命與宗教學術研討會。

道教延壽經本的文化意涵

前言

長生成仙是道教徒生命追尋的終極目標，道教所有的修煉術均極力朝此目標發展，歷代以來的道士，也都為此一目標投注他們的生命能量，以他們的生命實踐此一目標。整個道教文化的發展，也以長生為核心向外延展。如果說長生成仙的思想，是道教這個宗教的特質，那麼延壽科儀，即是道教科儀中最核心的部分，也是道教科儀中最具特色的內容，其經典內容的研究價值不言而喻。

在《正統道藏》中，以延壽或延生之名為題的經典如下：

《三光注齡資福延壽妙經》、《太上長生延壽集福德經》、《太上長生延壽集福德經》、《無上自然北斗延生真經》、《太乙元真保命長生經》、《太上元始天尊說續命妙經》、《太上上清禳災延壽寶懺》、《南斗延壽燈儀》、《北斗本命延壽燈儀》、《太上神咒延壽妙經》、《太上靈寶天尊說延壽妙經》、《金籙齋祈壽三朝儀》、《金籙齋上壽三獻儀》、《金籙齋延壽護醮儀》、《太上斗姆大聖元君本命延生真經》、《太上玄靈北斗本命延生真經》、《太上玄靈北斗本命延生妙經》、《太上玄靈北斗本命延生真經註》（徐道齡集註）、《上玄高真延壽赤書》、《太上正一延生命籙》、《洞玄靈寶真人修行延年益算法》、《郭畢子本命元辰曆》、《太上三元賜福赦罪解厄消災延生保命妙經》。

這些經典涵蓋不同道派、跨越不同時代，其數量與內涵充分顯露道教延壽科儀的重要性，也顯現出世人對延壽的心理需求程度。本文擬從文化淵源、理論內涵、儀式功能延伸等角度，依循科儀文本進行討論，探討經本內容中的文化意涵。

一、延壽儀式的文化淵源

世人大凡好生惡死，所以孟子說：「生亦我所欲，所欲有甚於生者，故不為苟得也；死亦我所惡，所惡有甚於死者，故患有所不辟也。」[1]好生惡死可以說是生命的本能，因此，在古代文獻中，早有許多人們對於生命延長的希求與實踐方法的紀錄，而這些方法都與祭祀有關。《尚書・金滕》篇中有以下記載：

> 既克商二年，王有疾，弗豫。二公曰：「我其為王穆卜。」周公曰：「未可以戚我先王。」公乃自以為功，為三壇同墠。為壇於南方，北面周公立焉；植璧秉珪，乃告太王、王季、文王。史乃冊，祝曰：「惟爾元孫某，遘厲虐疾；若爾三王，是有丕子之責于天，以旦代某之身。予仁若考，能多材多藝，能事鬼神；乃元孫不若旦多材多藝，不能事鬼神。乃命于帝庭，敷佑四方，用能定爾子孫于下地；四方之民，罔不祗畏。嗚呼！無墜天之降寶命，我先王亦永有依歸。今我即命於元龜，爾之許我，我其以璧與珪，歸俟爾命，

---

[1] 楊伯竣譯注《孟子譯注》台北：源流文化事業出版社，民國 71 年，頁 265。

> 爾不許我，我乃屏璧與珪。」乃卜三龜，一習吉。啟籥見書，乃并是吉。公曰：「體，王其罔害；予小子新命於三王，惟永終是圖。茲攸俟，能念予一人。」公歸，乃納冊於金縢之匱中。王翼日乃瘳。[2]

這是向祖先祈求壽命的觀念，也是古人祈求延壽的活動，可以反應西周初期人們求生避死的思想與活動。在這段記載中，顯示當時人們認為人的壽命，決定於鬼神，所以祝詞上明言，請太王、王季、文王明察，周公多才多藝可以事鬼神，武王不若周公多才多藝，因此請以周公代武王。果然得到三王應許，武王病瘳。

在周公之後的五百多年，《論語．述而篇》也出現了向神明祈壽的觀念：

> 子疾病，子路請禱。子曰：「有諸？」子路對曰：「有之。誄曰：『禱爾于上下神祇。』」子曰：「丘之禱久矣！」[3]

雖然孔子並不認為生病是可以靠祈神得治，但是子路

---

[2] [清]孫星衍著《尚書古今文注釋》下北京：中華書局，1998年，頁323-329。

[3] [清]劉寶楠著：《論語正義》卷8，台北：文史哲出版社，民國79年，頁282。

引古代的誄文回應，顯然是希望孔子試試這個方法，雖然孔子的回答並沒肯定這個方法，但是子路誄言請禱代表的意義是：在傳統文化中人們認為生病是可以祈禱於神祇，藉此治療疾病解除死亡的威脅延續生命。

周人要求生命延續的方式，主要的方式是禱請，禱請的對象是祖先，如同尚書中周公請以己身替武王事鬼神的記載般，是在宗廟中祈請的。這類的文獻，在銅器的銘文以及《詩經》、《儀禮》中可見。

《詩經・小雅・楚茨》云：

> 楚楚者茨，言抽其棘。自昔何為？我蓺黍稷。我黍與與，我稷翼翼。我倉既盈，我庾維億。以為酒食，以享以祀，以妥以侑，以介景福。
>
> 濟濟蹌蹌，絜爾牛羊，以往烝嘗。或剝或亨，或肆或將。祝祭于祊，祀事孔明。先祖是皇，神保是饗。孝孫有慶，報以介福，萬壽無疆。
>
> 執爨踖踖，為俎孔碩。或燔或炙。君婦莫莫，為豆孔庶。為賓為客，獻酬交錯。禮儀卒度，笑語卒獲，神保是格。報以介福，萬壽攸酢。
>
> 我孔熯矣，式禮莫愆。工祝致告，徂賚孝孫。苾芬孝祀，神嗜飲食。卜爾百福，如幾如式。既齊既稷，既匡既勑。永錫爾極，時萬時極。

禮儀既備，鐘鼓既戒。孝孫徂立，工祝致告。神具醉止，皇尸載起。鼓鐘送尸，神保聿歸。諸宰君婦，廢徹不遲。諸父兄弟，備言燕私。

樂具入奏，以綏後祿。爾殽既將，莫怨具慶。既醉既飽，小大稽首。神嗜飲食，使君壽考。孔惠孔時，維其盡之。子子孫孫，勿替引之。[4]

此詩是歌詠祭祀的詩篇，內容呈現祭祀者準備豐盛的酒食和牛羊，請祖先享用，希望祖先在歡欣喜悅之下能賜予介福、景福。《韓非子・解老篇》中說：「全壽富貴之謂福」[5]從全壽富貴這四個字的意義看，其中包涵了長命，財富，權力。這是＜楚茨＞第一章所表現出來的祈願。

＜楚茨＞第二章與第三章的祈願內容，除了福之外特別強調壽命的祈請，祈求祖神賜福萬壽無疆、萬壽攸酢。詩中亦言及，祖神透過工祝傳達致福於祭者的內容是「使君壽考。」也就是說壽命的祈求心願在財富權貴之上，有特別被強化的現象，類似的內容也出現在＜信南山＞詩中：

信彼南山，維禹甸之。畇畇原隰，曾孫田之。我疆我理，南東其畝。

---

4 屈萬里著：《詩經詮釋》台北聯經出版社，1998 年，頁 403。

5 [清]王先慎著：《韓非子集解》卷 6，北京：中華書局，1998 年，頁 135。

> 上天同雲，雨雪雰雰，益之以霢霂。既優既渥，既霑既足，生我百穀。
>
> 疆埸翼翼，黍稷彧彧。曾孫之穡，以為酒食。畀我尸賓，壽考萬年。
>
> 中天有廬，疆埸有瓜。是剝是菹，獻之皇祖。曾孫壽考，受天之祜。
>
> 祭以清酒，從以騂牡，享于祖考。執其鸞刀，以啟其毛，取其血膋。
>
> 是烝是享，苾苾芬芬。祀事孔明，先祖是皇。報以介福，萬壽無疆。[6]

子孫準備豐富的祭品，祭享祖先，向祖先祈求「曾孫壽考」、「壽考萬年」，祖先也報以介福萬壽無疆。

在禮書的記載中，同樣可見祈壽的內容，《儀禮・少牢饋食禮》云：

> 屍執以命祝。卒命祝，祝受以東，北面於戶西，以嘏於主人，曰：「皇尸命工祝，承致多福無疆，於女孝孫。來女孝孫，使女祿于天，稼于田，眉

[6] 屈萬里著：《詩經詮釋》台北聯經出版社，1998 年，頁 407。

壽萬年，勿替引之。」[7]

依據鄭玄的註解，＜少牢饋食禮＞是諸侯卿大夫祭祖之禮。無論是《詩》或《禮》的記載，祈壽在祭祖的祝詞裏經常出現，而祖先給子孫的嘏詞中，也回應以眉壽萬年的祝福。

見於金文的文獻有＜曶壺＞曰：

「用作朕文考釐公尊壺，曶用萬年眉壽，永令多福。」[8]

考古出土文物中，也見祈壽器物，如陝西永壽好寺村西周遺址出土的仲枏父器，銘云：

用敢鄉考于皇且丂，用祈眉壽。[9]

除了祭器之外，在生人的養器和嫁女的媵器，也可見祈壽銘文：

用成（盛）稻粱，用速先後者（諸）兄，用祈眉

7 [東漢]鄭玄著：《儀禮鄭注句讀》台北：學海出版社，民國 86 年，頁 722。

8 羅振玉《三代吉金文存》，卷 12，台北：樂天出版社影印，民國 62 年，頁 1252 下。

9 吳鎮烽《陝西金文彙編》，西安：三秦出版社，1989 年，Nos.223.

壽無疆。[10]

杜正勝指出春秋時代開始流行的媵器有的銘文鑄有祈壽嘏辭，傳世著錄與考古發掘，皆有所見，一般或曰「萬年眉壽」，或曰「用旂眉壽」，而春秋晚期的蔡昭侯申嫁女孟姬給吳王所作的媵盤，祝福「不諱（違）考壽」。[11]

在先秦的子書中也可看見祭祀祈壽的內容，《墨子・明鬼下》云：

於古曰：「吉日丁卯，周代祝社方，歲於社考者，以延年壽。」[12]

無論從《詩經》、《儀禮》銘文或是出土文物的呈現，或春秋戰國的史書、子書之中，都可以看到在周代時，已有祈求壽命的思想運用於祭祀或是生活之中。可見面對死亡，即便是在人文思想萌發的西周時期，人們對於生的渴望與延壽的作為，並未稍減。甚至認為天界神明，有專管人壽命職司的，屈原的《楚辭・九歌・大司命》就呈現出人命由神明掌管的思想：

廣開兮天門，紛吾乘兮玄雲。令飄風兮先驅，使

---

10 羅振玉《三代吉金文存》，卷 10，頁 1040。

11 杜正勝《從眉壽到長生》，台北：三民書局，2006 年，頁 166-167。

12 張純一著《墨子集解》卷 8，台北：文史哲出版社，民國 82 年，頁 294。

凍雨兮灑塵。君迴翔兮以下，踰空桑兮從女。紛總總兮九州，何壽夭兮在予。高飛兮安翔，乘清氣兮御陰陽。[13]

大司命在九歌的眾神之中，顯然有比較高的神格，從他出行天門廣開，風神雨師為先導中可得證明。毫無疑問的，九歌是祭祀歌曲，因此可知戰國時的楚地，人們已祭祀掌管九州人民壽夭之職的大司命。不過司命之神管人的壽命，並非晚到戰國時代才出現，今知最早的大司命見於春秋齊國洹子孟姜壺。[14]《韓非子・喻老篇》述及扁鵲論疾曰：

病在腠理，湯熨之所及也；在肌膚，鍼石之所及也；在腸胃，火齊之所及也；在骨髓，司命之所屬，無奈何也。此司命主死。[15]

在《莊子・至樂》篇裏，莊子對髑髏說：

吾使司命復生子形，為子骨肉肌膚，反子父母妻子閭里知識。[16]

---

13 [宋]洪興祖：《楚辭補注》台北：大安出版社，民國 84 年，頁 98-99。
14 杜正勝：《從眉壽到長生》，頁 191-192。
15 [清]王先慎著：《韓非子集解》，卷 7，頁 161。
16 [郭]慶藩輯：《莊子集釋》台北：華正出版社，民國 86 年，頁 619。

從這些文獻不難理解：何以大司命在九歌諸神中，有著較高的地位？因為大司命主宰人的生死，其神職對人的影響至為重大，莊子甚至認為大司命可以讓死人復生，因此可知楚人祭祀大司命、對大司命祈請的是壽命延綿的心願。大司命在九歌諸神中有較高的地位也反應了一種現象，即人們祈願壽命延長的心理強度高過其他對神祈請的項目。

除了向祖先、司命之神祈壽，向星神祈求治病延生的記載，在中國也出現得很早，據蕭登福指出：

> 馬王堆三就漢墓出士帛書《五十二病方》第九十八行說：「湮汲一音(杯)，入奚蠡中，左承之，北鄉（嚮），鄉人禹步三，問其名，即曰：『某某年□今□。』飲半音（杯），曰：『病□□已，徐去徐已。』即復（覆）奚蠡，去之。」在此段文字中可以看見北向禹步，飲水治病之法，其科儀和後世道教相近。馬王堆三號漢墓，據墓中殉葬木簡記載，墓主埋於西漢文帝十二年。[17]

根據近人周一謀的研究，《五十二病方》字體近篆，在馬王堆帛書中，是字體較早的一種，抄寫年代大約在秦

[17] 蕭登福註譯：《南北斗經今註今譯．太上說南斗六司延壽度人妙經導讀》台北：行天宮文教基金會編印，1999 年，頁 15。

漢之際，而《三國志・吳書・呂蒙傳》也記載呂蒙病重，孫權曾為呂蒙向星辰請命。[18]

戰國時期，神仙思想盛行，神仙不死之藥為方士們醉心所求，更替帝王們延續坐擁權勢富貴的生命提供希望。人們企求在現實的世界之外，有個神仙世界，在神仙世界中住有過著逍遙自在生活的神仙，他們長生不死，並擁有長生不死之藥，能夠使人獲得長生，上至帝王公卿，下至販夫走卒，無不希求得到長生之藥。

從祈求長壽，到希冀成仙，以求不死，充分表現出人類對於生命追求以及對於死亡排拒的本能心理，在古人的文化發展中，基於樂生惡死的生物本能，自然發展出延壽的文化與技術。

從《山海經》中的不死之山、不死之國、不死之藥、不死之民的記載中，可以說明，不死的追求，來自於遠古的心靈需求，流傳於後世，乃至於現代醫學，仍致力於抗老、增進細胞功能等能延年益壽的醫學理論之研發與技術之提升。這些努力，無非為了滿足人們延長生命的心理需求。

道教早期的發展，即繼承求生延壽文化的各種內涵，如祭祀、導引、服食、吐納……等養生技術，並融合其神

---

18 蕭登福註譯：《南北斗經今註今譯・太上說南斗六司延壽度人妙經導讀》，頁 15-16。

學信念，成為道教此一宗教的文化特質。

二、道教延壽經典中的延壽理論內涵

《正統道藏》中，題為延生或延壽的經典，如前言所揭，這些經典在道教內部的應用方式，或作為科儀進行中的唱誦科儀本，或以唸誦作為修行方式，經典中提及這兩種形式都可達到延壽祈福的功效。這些經典可能運用於儀式中，成為科儀本，也可以單一唸誦，作為修煉功課。這些經典的本文中，透露著道教延壽思想的理論基礎，以下即分析這些經典所呈現的觀念理則。

《三光注齡資福延壽妙經》，見於《道藏》洞真部，本文類，盈字號，僅二百餘字，其內容素樸，但已呈現道教延生科儀的基本架構，今錄其要文如下：

> 天有七機，亦有三光，斗應其機，光應其罡。斗有七孔來應五臟，安靜怡神，名正修養。耳則不可以亂聽，眼則不可以視惡，鼻則不可以聞臭，口則不可以雜味，虛中三光周流遍體。頭以為天，足以為地，道法濟人，自然之氣，耳若亂聽，聲色敗人，眼若視惡，真光不明，鼻若聞臭，玉真不清，口若雜味，身多病生，是故病從口入，福從色敗，子若戒之，命同天在。能服金液，飛

仙必剋，能服還丹，堅骨延年，子若有志，但於名山，無為無欲，安而復遷，英同凡俗，貪欲為冤，大道玄聖，在子目前，斗覆子形，光映子精，密而行之，方得道成。[19]

從上引原文，可見道教延生科儀之理論架構，乃建立在道教天人合一的宇宙觀下，認為天地間的奧妙，表現在天體的結構上。所謂天有七機亦有三光，就是天體反應天地間奧妙的訊息，北斗七星的數量對應的就是天的七機，日月星三光則對應天地間之三罡。而人的五官七孔，上對應北斗七星之數，內對應五臟之象。整體的概念是建立在天人合一的基礎上，人能保有壽命的關鍵在於天之三光能否在人身上周流遍體。

然而天人之間有先天後天的差異，人雖先天有五臟七孔和天之斗星相應，然而人的感官需求卻有種種的追求，違背天地理則的感官追求，是使人從天人合一境界脫離的主要因素，因此經文強調，「安靜怡神，名正修養。」

在「安靜怡神，名正修養」的原則下，人的感官不宜過度追求刺激，故而耳不可亂聽，眼不可視惡，口不可雜

19 《正統道藏．三光注齡資福延壽妙經》1ab，第 2 冊，台北：新文豐出版社，民國 84 年，頁 341。所引道藏均為新文豐出版社之版本，以下再引，徑標卷數冊頁。

味，鼻不可聞臭。因為道法和人之間是以自然之氣連結的，亂聽、視惡、雜味、聞臭則違背自然。人稟自然之氣而生，違反自然之氣，會斷絕生機。亂聽、視惡、聞臭、雜味，顯然足以擾亂人生命中的清靜特質，若人充塞了亂聽、視惡、雜味、聞臭這些內容，將會造成生命的阻滯，所以此經說，「耳若亂聽，聲色敗人，眼若視惡，真光不明，鼻若聞臭，玉真不清，口若雜味，身多病生。」此段經文彰顯出感官刺激的過度追求，對人有身與神兩方面的傷害。

聲色敗人，敗的是身，同時也會敗壞人的社會成就；真光不明，與玉真不清，則須從道教身神的概念理解。在道教的神學觀裏，人體內有身神駐守[20]，這也是人的生命能正常運作的重要因素，身神與道合同，具清靜自然屬性，人視惡、聞臭的行為則違背清靜自然的屬性，如此身神無法安居於身，身神不安甚至於離去，即導致真光不明，玉真不清。道教的生命觀強調形神相依，人體若失身神，則衰敗死亡。所以經文明言：「病從口入，福從色敗，子若戒之，命同天在。」亦即，人若能依清靜自然之天道行事，則與天同步，即是「大道玄聖，在子目前」的境界，天地不朽，人亦不朽，所以「斗覆子形，光映子精，密而行之，方得道成。」

20 道教諸多經典提及身神概念，《黃庭經》最為世人所聞。

《三光注齡資福延壽妙經》簡要地呈現天體與世人壽命之間的關連，與之同卷的另一部經典《太上長生延壽集福德經》中則對於此一觀念，有進一步的儀式運作程序。此經亦系短文，主要內容為長生護福神王請示元始天尊，世間所有奉行善道之男女，若是來入法門，要修行何種功德，才能令他們不被水火刀兵災病而得安樂年壽長遠？元始天尊的回答要文如下：

> 來入法門者，先令平等，挫鋭解紛，行三清淨：第一身清淨，第二心清淨，第三口清淨。三業淨者，然後可付三洞上法，永劫無息，常居天堂，五福長集，百靈保衛。若遇三元五臘，八節四時，本命生辰於清淨堂中，燒眾妙香，東向長跪，作禮叩齒，咽液而念長生延壽咒曰：
>
> 玄玄真一身，演經九天文。飛行大羅界，金臺朝皇人。長生無苦根，年齡依華椿。百骸洞瓊光，虔謝白元君。
>
> 念畢，叩齒三通，咽液三過，瞑目觀身端坐五色光中，又念集福德咒曰：玉臺童子書，靈仙保其門。福德隨日新，身光晃三天。紫蓋羅千宮，心歸無上尊。福長綿綿，密護玄中人。
>
> 天尊言：若復有人行持志念此經，神魂洞徹，外

散鬼魔，福德日積，體入自然，身有光明，永歸正道，世世安樂。[21]

由此經的內容可見與上部經典相同的概念，世人要求延壽之前，必先讓自身具備與道契合的條件，在《三光注齡資福延壽妙經》中以「虛中」一詞，展現此一概念，在《太上長生延壽集福德經》中即以「行三清淨」的概念，表現這個觀念。身心口三業的清淨，是更細緻而具體地分析凡人後天行為和先天自然清靜違離的修復方法。先具足了身心口三業的清淨，也才具備以道契合的基本條件，而後才能交付三洞上法。

另外此經有更具體的延壽儀式內容陳述，即配合時節的運轉，於三元、五臘、四時、八節，及本命元辰，這些特殊的時間進行長生延壽的儀式。道教對於舉行儀式的時間，有其內在的神學思維，收錄於《正統道藏．洞玄部．表奏類》的《赤松子章曆》說明選擇特殊時間進行儀式的意義：

五臘日者，五行旬盡，新舊交接，恩赦求真，降注生氣，添神請算之良日也。此日五帝朝會玄都，統御人間地府，五嶽四瀆，三萬六千陰陽，

---

21 《正統道藏．三光注齡資福延壽妙經》1a-b，第 2 冊，頁 341。

> 校定生人延益之良日也。學道修真求生之士，此日可齋戒沐浴，朝真行道。[22]

人間禍福吉凶由天界神祇檢校，因此配合天界神明行事，才能達成請神賜福的願望，天地神明的行事有其規律性，《赤松子章曆》這樣的道書即是詳載天地神明行事曆的經書。然而對天地神明的祈請並非只在於時間的配合，更重要的是內在心性的配合。

因此無論是三清淨的要求，或是依特殊時間配合持誦經咒觀想存思的具體操作方法，都可以看出天人合一理念的實踐。天所代表的即是道，道法自然，自然以清靜為原則，因此凡人欲求修道成仙，必須符合道的原則。

三元、五臘、四時、八節本是民間歲時節日，道教吸收民間歲時節日，融合其神學思想，演化成歲時節日也是道具體運行的表現，所以在特殊的時間持誦經咒、觀想存思是與道合一的表徵。此一儀式行為，即透過儀式的具體行動，模擬道抽象的運行法則，清靜淨化，與道合契。這點可從延生咒的內容得到印證，其咒誦讚元始天尊為道之真一化身，以天尊之形演法九天真文，九天真文即道的經典形象。誦贊元始天尊的特質，其實就是了解並契慕道的特質，進而將自身融入此特質。故有清靜淨化的儀式功效。

---

[22] 《正統道藏．赤松子章曆》卷 2，17a，第 18 冊，頁 670。

念畢，瞑目觀身端全五色光中，即是將身融入道中，與道契合的具體行動。

此一理念，在《太乙元真保命長生經》中，有更詳細的闡述：

> 積陽為神，積陰為形，陰陽兩半，合成其身。猶如日月麗於虛空，晝夜不息，各行其分，憂悲喜怒，遞相攻擊。生老病死，因之而有。夫前識者，道之子，形化者道之母，既知其子，須識其母。母者太上之分身也，子者本心中之一也。二者合同，胎養形魂，人能識之，可以長存。故善精思者，內視不瞬，內聽不昧。使欲者不欲，不欲者欲，以陽化陰，以和化心，心和氣靜，陰弱神正。神正則精專，精專則影滅，影滅則形忘，形忘則神應，神應則和同，和同則天上精光可入。精光既入，陽氣獨化，舉身排空，所適無礙，亦如還丹入口，卻除諸陰累，七陰致神，以致不死。[23]

此經首先說明人的生命由陰陽二氣合成，陰陽二氣的運行，使人有各種情緒，因此而有生老病死。所以人必須要了解生死之因與生命的特質，亦即人的生命由道分別以

23 《正統道藏·太乙元真保命長生經》1a-b，第2冊，頁500。

子與母的形式化為識與形。也就是說必須識、形合同，胎養形魂，那麼人就可以長生。

若想長生人的心識與形體必須合同，欲達合同的功用則必須透過存思內視的修煉。存思內視能夠讓人徹底了解人的內在，而此一內在屬性是道之子，能使人不為欲望所控制，即經文所謂「以陽化陰，以和化心」達到心和氣靜的境界，這種情境是與道相合的狀態，自然天上精光，可入於人身之中，除卻致死的陰累之氣得道不死。

經文從人的生命的形成，以至於何以衰敗老死都有清楚的論述，針對世人生命形成、發展的理則，清楚地說明若要免除生老病死，必須要在人生命過程中將具有道的子母特質的神與形合而為一，以求具有和大道相合的條件，進一步地將自我生命與道合一。

這篇經文的後面有咒文，從中可進一步看出道教延壽觀念的理論推展，諸神文咒曰：

> 三清上境，太乙元真。布和法化，開光度人。錬魂日宮，校魄月輪。天帝總氣，地官飛塵。千二百靈，萬二千神。合成仙宅，立為真身。真身之中，七政九宮。心光朗耀，照玄明宮。明空大神，和氣心真。內清五臟，外召五神。精想不窮，開光度人。老者反壯，故者還神。飲食六甲，三景

> 同替。十二吏兵，保衛爾身。日誦千遍，上朝元君。元真老君，至道獨存。保爾元命，衛爾靈根。勤扣天鼓，和形鍊魂。齋誦不忘，當見神尊。策空駕浮，昇天躡雲。[24]

咒文中指出人的身中有陰陽二氣所布的神靈，在人的生命過程中，必須讓身體成就真身，成就真身的方法就是取法、模擬自然的七政九宮之氣，使和氣遍於體內，內清五臟，外召五神。透過存思，得以和體內真氣。另外配以誦經、「鳴天鼓」等修煉術，和形魂，以得長生成仙。

在仙道未成之前，這些修煉方法，已經具備延生保命的效果了，所以此經咒文之後，明確敘述：

> 誦前咒訖，則注目存神，引神氣攻一切人身中，萬病立瘥，若修長生得道之法，即誦滿十萬遍。即端坐內思，更莫外緣。不經十年，自然成道。[25]

咒文唸畢，再以存想的方式，引神氣治療疾病，解除疾病對世人生命的威脅。可見此經的延壽思想，從生命的來源，到生命的變化因由，長生的可能乃至對影響長生可

24 《正統道藏．太乙元真保命長生經》1b，第 2 冊，頁 500。
25 《正統道藏．太乙元真保命長生經》2a，第 2 冊，頁 500。

能的變數——疾病的對治，均已含括。

三、生死主宰的神格形象

《玉清無上自然北斗本生真經》收錄於洞真部，本文類，辰字號，內容為元始上帝為寶上真人所說之經典。此部經典由寶上真人提出的問題，展現了天體神格化的內涵：

> 中天七星，巍巍赫奕，統御群曜，斡旋炁運，斟酌死生，威力至重，以何因緣殊勝第一，起自何劫，始終之化，願詳聞之。[26]

寶上真人的提問，已經指出中天七星，是天上諸多星曜的統御者，並且掌握炁運，因此掌握了萬物的生死，所以神威之大，至為重要。

元始上帝對於這個問題的回答則呈現北斗七星的內涵：

> 在昔龍漢，有一國王，其名周御，聖德無邊，時人稟受八萬見千大劫。王有玉妃，明哲慈慧，號曰紫光夫人，誓塵劫中，已發至願，願生聖子，輔佐乾坤，以裨造化。後三千劫，於此王出世，因上春日，百花榮茂之時，遊戲後苑，至金蓮花

---

[26] 《正統道藏・玉清無上自然北斗本生真經》2b，第2冊，頁498。

溫玉池邊，脫服澡盥，忽有所感，蓮花九包，應時開發，化生九子，其二長子是為天皇大帝、紫微大帝。其七幼子是為貪狼、巨門、祿存、文曲、廉貞、武曲、破軍之星，或善或惡，化導群情。於玉池中，經予七日七夜，結為光明，飛居中極，去地九千萬里，化為九大寶宮，二長帝君，居紫垣太虛宮中勾陳之位。掌握符圖，紀綱元化，為眾星之主領也。昔大願往此剛強世界，七千萬劫方還玉清，紫光夫人，亦號北斗九真聖德天后道身玄天大聖真后，應現上天南嶽是名慶華紫光赤帝之尊。

若有信心男女，能於上春日一心齋戒，肅爾神明，設九光醮，迎紫光聖母，並七元君，虔恭奏獻，縱有多劫十惡重罪，冤家業報，如九日輪照於冰山，應時消釋。上至國王大臣，下及民庶，能奉之者，感獲景祝，福壽增延。[27]

這段經文首先解答了一個問題，何以七星能成為萬星首領，並且「掌握炁運，斟酌生死」？因為諸星是應劫而來，為解救塵世所受八萬四千大劫，由紫光夫人發願，生

27 《正統道藏·玉清無上自然北斗本生真經》1a-3a，第 2 冊，頁 498-499。

下聖子輔佐乾坤，以裨造化。所以紫光夫人所生的二帝七星，即具備輔佐乾坤，以裨造化的神威，因此能掌握萬物生死。

這樣的觀念，仍表現出道教的宇宙觀，即萬物由道而生。但道的本質為無，所以無為、無名、無形，當其化生萬物則為有，從無到有的過程中，無必須轉化，此轉化的關鍵在於氣。先天諸神都是道氣所化，從無而變為氣，再轉變為神。一切都以氣轉化，因此，紫光夫人的願，也以氣運轉，以氣成形，所以二帝七星的誕生，是在金蓮花溫玉池中，由蓮花感而化生的。然而這氣的運生，須經三千劫的時空蘊釀，才得以成形。正以其願之大，其時之久，而能顯出其為聖子的不可思議神力，得以承擔輔佐乾坤，以裨造化的重任。

經文的第二個重心，在於紫光夫人所生的九子之間位階有高下各有稱名。二長以帝為尊號，七幼子則各有專名，其名即是常見的北斗星君名號。九聖子的神力除了紫光夫人之願轉化而生之外，又加上了元始上帝的加持，元始上帝費了七天七夜的功夫，使他們具結光明之形，飛上中天，各居宮垣。

此外七星的性質，經文中也有說明，七星是或善或惡的。亦即七星之性，有善有惡的作用在於化導群情。回歸到紫光夫人發願的本初，即時人稟受八萬四千劫的時空背景。時人何以稟受八萬世千劫？當然，這是由於人的沈淪，元始上帝說：

> 道曰：一心玄微，廣包萬景之多，一心所受，表裏洞然，本無留礙，生死來去，如影如夢。緣何倒置，認此為真，淪沒妄波，不能出離。[28]

正因人失去了玄微之心，即人心除了道之外，還執著於現象、生死、真假等分別之心，於是與道相違、與道分離，淪落於妄念妄想之中，有了各種複雜的情狀，因而七星化導群情，必然不能不接近群情，群情有善惡，化導之法就有善惡之分，這是隨順群情之所需，以此，七星或善或惡。也正因七星或善或惡，才能發揮斟酌生死的職能。

七星的善惡，是從人情來看的，意謂從人的價值觀判定，七星或善或惡。對人而言，七星的存在符合人的個人利益需求為善，不符合人的利益需求為惡。但是從天道運行的角度而言，七星的或善或惡，是利以化導群情，仍舊回歸到七星的任務，以裨造化的終極目的上。七星以對人而言或善或惡的方式處理人違背天道的問題，幫助人回到依循天道運行的理則中，可見或善或惡的星性是主宰生死的神格形象表現。

經文中也教導世人如何進行延壽的儀式，即在紫光夫

---

28 《正統道藏·玉清無上自然北斗本生真經》1a，第2冊，頁498。

人感生九光的上春日，透過齋戒，澄清內外之後，設九光醮，迎請紫光聖母與七元君，虔誠恭敬地奏請奉供，即使是多劫十惡重罪，冤家業報，也像九日輪照於冰山般消解。

這段敘述，可以說明七元君是應紫光聖母也就是紫光夫人之願而生的，所以七元君的神能源自於紫光夫人的大願力，在七元君聖誕時節，獻供於紫光夫人與七元君，除了世俗觀念中的壽誕慶生，讓神明歡喜悅樂，得神賜福之外，也具備與神聖時空連結的作用。

道教的儀式對於神聖時空的連結，有其自成體系的神學思想脈絡，而神聖時空的連結，同樣可從道教的宇宙觀理解，人與天地以及道的連結在於氣。人只要善於應用氣的屬性，即可與道連結，魏晉南北朝時期的經典，《赤松子章曆》對於行儀的方向時間都有明確的規定，行儀的方向取決於一天的時間，空間的方位，也遵守曆法禁忌，在某些情況下，與所請諸神之相關機構的位置相一致。如日中奏章，向東。夜奏向北。也根據上章目的不同而有異，驅邪、治病向鬼門；消災厄向地戶；求長生向天門；正月、五月、七月、九月治病不向東。[29]

類此在特殊的時間方位與神連結的觀念，在道教的科儀中，為基本程序。紫光夫人於上春日，在溫玉池邊，脫

---

[29] 詳見黎志添編著：《道教研究與中國宗教文化》香港：中華書局，2003年，頁54。

服澡盥，與古代上巳日人們盛行到河邊祓禊藉以消災卻邪的儀式相近。或許從祓禊的概念，可以了解為何於上春日祭祀紫光聖母與七元君，能得罪業如九日輪照冰山般解消的作用。根據紫微大帝的生日為上元日，可知上春日即上元日。春季為陽氣生發的季節，九日輪照冰山的譬喻，象徵陰陽之氣的消長，上春日是個特殊的神聖時空，紫光夫人於溫玉池中感生九子，元始上帝以光結九子，也具陰陽消長的特質，亦即上春日為陰陽消長的特殊時空，故而此日祭祀紫光聖母與七元君，與神聖時空連結，具消解罪業的特殊效果。

四、延壽儀式內涵的多元化

編排於傷字號的《太上玄靈斗姆大聖元君本命延生心經》是道教另一種延壽科儀經典，其儀式進行程序，更為多元繁複。內容以太上老君所述，斗姆職掌及北斗與人之間的關係及消災延壽的方式為主，此經首先言及斗姆的特質：

> 斗姆上靈光圓大天寶月，中有騫樹色瑩琉璃，玉兔長生，擣煉大藥。凡天地氣運休否，日月星辰錯行，雨暘晦明不時，風寒暑溼不節，亢旱水火疫癘凶災；至如刀兵蟲蝗，妖精鬼怪，疾病傷生，

> 爭訟橫撓，種種不祥，悉皆乖氣所致。斗姆降以大藥，普垂醫治之功，燮理五行，升降二炁，解窒去窒，破暗除邪，愆期者應期，失度者得度，安全胎育，治療病痾，潤益根荄，陽回氣候，生成人物，鍊度私神，散禳百結，資補八陽，輔正全真，召和延祚，潛施藥力，職重天醫。生諸天眾月之明，為北斗眾星之母，斗為之魄，水為之精，主生人身，光凝性水，眾水一月，眾月一光，有情無情，均稟靈光道炁，一一資其，生養護衛，恩深德重，皆莫能知，是以人心面有七竅，內應乎心，魄有七真，受魄於斗。[30]

經文明白顯示斗姆具有天醫的職能，其所在之處，有長生玉兔，擣鍊大藥，斗姆即以此大藥普垂醫治之功。同時也指出天地之間的種種不祥，都因「乖氣」所致。所謂乖氣，即逆氣，天地之間道氣運行，違背於氣理運行即為逆氣，也就是失序的氣。

氣的失序有各種不同的形式表現，如抽象的「天地氣運休否」，具體的天體現象「日月星辰錯行」，氣候的種種變化「雨暘晦明不時」、「風寒暑濕不節」、旱災、水

---

30 《正統道藏·太上玄靈斗姆大聖元君本命延生心經》1a-b，第19冊，頁3。

災或是人為災禍如火災、戰爭，甚而是瘟疫災禍之類的，連帶無形的超自然現象如妖精鬼怪，以至於是人為的疾病傷生、爭訟橫撓等等現象，都是氣的失序使然。

因為所有不祥事物產生的根源，在於氣的乖逆，所以斗姆大藥作用的發揮對象也針對氣運作，透過此大藥理燮五行，升降二炁，回復所有失序的狀態，讓氣正常運行，萬物則正常發展，人事也自然正常運作。斗姆的天醫職能，意謂著斗姆為天地之醫者，具有醫療天地的功能。

何以斗姆具有醫療天地的能力？經典本身有明確的答案，因為斗姆乃諸天星辰的根源，北斗眾星之母，主生人身，光凝性水，所有一切的存在有情無情都是稟著斗姆所屬靈光道炁而生的，也就是說斗姆是道的神格化，以母性神格的形象以陰柔水月的象徵展現的母性神。既然一切有情無情都由斗姆應炁而生，人自然不例外，人體內外的特徵也與北斗七星相應。這樣的思想仍基於道教道生萬物，天人合一的宇宙觀而來，其程序具體化為——道從無化炁為斗姆，再透過斗姆的化生、育養、護衛而成就萬物，所以斗姆具有醫療天地的職能。

斗姆具有醫療天地的職能，所涵括的意義對人而言，即人的生命中一切與天地有關，無論有形無形的各種不順利、節候失調、寒暑失節、疾病禍害、是非口舌等等，只要造成生活經營上的阻力，都可以透過對斗姆的禱請，得以解除。祭祀斗姆，不單只為治療疾病，延長壽命而已。可見在這部經典中，延壽儀式的內涵已經明顯地擴大了。

此外經典中也對於斗姆化育七星的過程，有更詳細的交代：

> 斗姆尊號曰九靈太妙白玉龜台夜光金精祖母元君。又曰中天梵炁斗母元君，紫光明哲慈惠太素元后金真聖德天尊，又化號大圓滿月光王，又曰東華慈救皇君天醫大聖。應號不一，主治中天寶閣。祖劫在玄明真淨天，修行玄靈妙道，勤奉元始至尊，慧香氤氳，智燈朗曜。每發至願，願生聖子，補裨造化，統制乾坤。願力堅固，始終如一。因沐浴於九曲華池中，湧出白玉龜臺，神獅寶座。斗母登於寶座之上，怡養神真，修鍊精魄，沖然攝炁，炁入玄玄，運合靈風，紫虛蔚勃，果證玄靈妙道，放無極微妙光明，洞徹華池中。華池化生金蓮九苞，經人間七晝夜，其華池中光明愈熾，愈盛其時，一時上騰九華天中，化成七所大寶樓閣，寶樓閣之中，混凝九真梵炁，自然成章。文曰：鬼尊鬼帝鬼摩鬼尼鬼達鬼里鬼牟鬼本鬼乇，前有天罡光敷祕字文曰：芒角烊然，是九章生神，應現九皇

道體，一曰天皇，二曰紫微，三曰貪狼，四曰巨門，五曰祿存，六曰文曲，七曰廉貞，八曰武曲，七曰破軍。[31]

此經以斗姆為名，事實上斗姆即《玉清無上自然北斗本生真經》中的紫光夫人，其發願降生九子的過程也與《玉清無上自然北斗本生真經》所述大致相同。只是前經，單純樸素地敘述紫光夫人的身分和慈悲發願，而此經斗姆的稱號更形繁複，意謂著更加尊崇斗姆的神格，說祂祖劫在神聖空間修行玄靈妙道，勤奉元始天尊，更加突顯斗姆的神聖性。

當然此經突顯的不僅是斗姆的神聖性，其願力的不可思議神力也展現得更加透徹，如此強化斗姆願力的不可思議神力，意在呈現應此願力而生的九子所具備的不可思議神力。這九子化生的過程中，仍是展現道教的宇宙觀，先天神的誕生為炁的轉化，經文中敘述，斗母，登于寶座之上，怡養神真，修煉精魄，沖然攝炁……放無極微妙光明。化生金蓮九苞，經七晝夜的蘊釀，再由此光上騰天中化成九所大寶樓閣，再由大寶樓閣中的真炁化成九字章文，而此九字章文應現九皇道體。炁以光的形態化生金蓮、天中

31 《正統道藏·太上玄靈斗姆大聖元君本命延生心經》1b-2b，第 19 冊，頁 3。

九所大寶樓閣、九字章文、然後才透過九章生神，應現九皇，九皇各有名稱。

這一繁複的程序是道教神學的內涵，這個程序說明了道化生神的細節，也顯示在道教神聖的天界，時空是多重繁複的。九皇為先天神，即使是由紫光夫人之願而生，仍為先天神，先天神的存在自有其所治之樓閣，在九皇將生之前，由光所生的金蓮光明愈熾，上騰於天中，化成九所大寶樓閣，再由其中的炁混凝成章文，章文一現，九神即生。章文即文字，此文字為神聖的文字，具有創生能力，以神的形態展現，即九皇，以天體形態展現即九星。

在這一部經典中，九星除了二帝之外的七星，也有了明確的專屬名稱：

> 天皇紫微尊帝二星居斗口，娑羅上宮，真光大如車輪，得見之者，身得長生，位證真仙，永不輪轉。二星分作餘暉，為左輔右弼，為擎羊陀羅，神化無方，總領玄黃正炁。七元星君，斡運陰陽，造化功沾三界，德潤羣生其功德力不可思議，夫修煉九還七返大丹者，持此頓悟玄關，靈光現前，三十九節自然生榮，了證太玄三一之道，知守本來俱足之理，堅固真身，更能精修，大定勇至，形神俱妙，與道合真，飛升玉京，逍遙自在，

至此則劫劫生生，玄祖宗親，皆得解脫，同受玄恩，濟度存亡，此為深妙，皈心持奉靜處，璇璣內景，無漏於六根，外景不淪於外有，湛然清靜，道在目前，頂禮真形，恭敬咒曰：

玄靈節榮，永保長生。太玄三一，守其真形，五臟神君，各得安寧。

魁 ⿺鬼勺 ⿺鬼雚 ⿺鬼行 ⿺鬼畢 ⿺鬼甫 魒 ⿺鬼旭 ⿺鬼乎急急如律令[32]

從上面的經文可以看出，九皇不僅只是延壽儀式中禱祝的對象，同時也是修煉九還七返大丹功法的存想對象，此經不僅為延壽儀式中的科儀本，也是內丹修煉過程中重要的修持經典，其作用已多元化。

延壽儀式多元化的內涵，在正一派的延壽科儀本中，更加豐富，同編於傷字號的《太上玄靈北斗本命延生真經》，對於儀式的內容有具體的陳述：

我故示汝妙法，令度天民歸真告命，可以本命之日，修齋設醮，啟祝

北斗三官五帝九府四司薦福消災，奏章懇願，虔誠獻禮，種種香花、時新五果，隨世威儀，清淨

32 《正統道藏・太上玄靈斗姆大聖元君本命延生心經》2b-3b，第 19 冊頁 3-4。

> 壇宇，法天象地，或於觀宇，或在家庭，隨力建功，請行法事，功德深重，不可具陳，念此大聖北斗七元君名號，福得罪業消除，災衰洗蕩，福壽資命，善果臻身。凡有急難，可以焚香誦經，剋期安泰。[33]

儀式進行的時間，為本命日，啟祝的對象為北斗、三官五帝、九司四府，從啟祝對象的多元化，即可明白此儀式功能的擴充，儀式進行的法式為對所啟諸神奏章陳述懇願，並禮獻供品及世行威儀。

儀式進行的空間可在家中或在觀宇，主要是儀式進行的壇場，必須清淨，並法象天地，也就是建構一個神聖空間之後再請行法事。但急難時，祈請的儀式則可簡化為焚香誦經：

> 凡夫在世，迷謬者多。不知身屬北斗，命由天府。有災有患，不知解謝之門。祈福祈生，莫曉歸真之路。致使魂神被繫，禍患來纏。或重病不痊，或邪妖克害。連年困篤，累歲迍邅。塚訟徵呼，先亡複連。或上天譴責， 或下鬼訴誣。若有此危厄，如何救解？急須投告北斗，醮謝真君，及

33 《正統道藏・太上玄靈北斗本命延生真經》2a，第 19 冊，頁 5。

轉此經，認本命真君，方獲安泰。以至康榮。更有深妙，不可盡述。凡見北斗真形，頂禮恭敬。[34]

因為道教的經典，如同九章生神般是由天宮玉字化生，與神相同具不可思議力量，焚香即清淨作用，焚香透過誦經，即可以天界神聖空間連結，得經典神聖的不可思議力量，故而此經言：

家有北斗經本命降真靈　。
家有北斗經宅捨得安寧　。
家有北斗經父母保長生　。
家有北斗經諸厭化為塵　。
家有北斗經萬邪自歸正　。
家有北斗經營業得稱情　。
家有北斗經闔門自康健　。
家有北斗經子孫保榮盛　。
家有北斗經五路自通達　。
家有北斗經眾惡永消滅　。
家有北斗經六畜保興旺　。
家有北斗經疾病得痊瘥　。

[34] 《正統道藏・太上玄靈北斗本命延生真經》4b，第 19 冊，頁 6。

家有北斗經財物不虛耗　。

家有北斗經橫事永不起　。

家有北斗經長保亨利貞　。[35]

所有世人煩惱的事物，都可以因為家中保有此部經典而化解，何以此經有此不可思議力量？因為這部經典中，有諸星真君名號：

北斗第一陽明貪狼太星君，子生人屬之。

北斗第二陰精巨門元星君，丑亥生人屬之。

北斗第三真人祿存貞星君，寅戌生人屬之。

北斗第四玄冥文曲紐星君，卯酉生人屬之。

北斗第五丹元廉貞罡星君，辰申生人屬之。

北斗第六北極武曲紀星君，巳未生人屬之。

北斗第七天關破軍關星君，午生人屬之。

北斗第八洞明外輔星君。

北斗第九隱光內弼星君。

上台虛精開德星君。

中台六淳司空星君。

下台曲生司祿星君。[36]

---

35 《正統道藏・太上玄靈北斗本命延生真經》8b-9a，第 19 冊，頁 8-9。

36 《正統道藏・太上玄靈北斗本命延生真經》4b-5a，第 19 冊，頁 6-7。

何以得知諸星真君名號，即可得到如此不可思議力量？因為名號連結著星君，星君有不可思議神力，是紫光夫人大願使然，紫光夫人之願，本在濟度眾生，然而眾生若不思度，也無從得度，太上老君在這部經典中明白指出：

> 如是真君名號，不可得聞。凡有見聞，能持念者。皆道心深重，宿有善緣。
>
> 得聞持誦，其功德力，莫可稱量。若正信男女，值此真經，智慧性圓，道心開發。出群迷徑，入希夷門。歸奉真宗，達生榮界。於是三元八節，本命生辰，北斗下日。嚴置壇場，轉經齊醮。依儀行道，其福無邊。世世生生，不違真性，不入邪見。持經之人，常持誦七元真君所屬尊號。善功圓滿。善功圓滿，亦降吉祥。[37]

真君名號不可得聞的意義，說明了真君名號的神聖性，所以能見聞真君名號者，就代表了具有與道契合的機緣，太上老君以「道心深重，宿有善緣」陳述與道契合之理，又說值此真經令人道心開發，道心開發即能與道連結，可見這部經是與道連結的媒介。

另一個連結重要因素即是時間，在三元八節、本命生

37 《正統道藏・太上玄靈北斗本命延生真經》5b，第 19 冊，頁 7。

辰，北斗下日時，轉經齋醮。這種在特殊的時間，據道教科儀法式建構特殊的空間，依憑此與道連結的特殊經典和向北斗諸元君禮敬齋醮，得到北斗諸星君不可思議神力的消災賜福，原因即在「凡人性命五體，均由本命星官所主掌。」[38]

本命真官每年下降六度在人間，執行其神職，判人間善惡之期，司陰間是非之目，所以下降之時，眾真擁護，人間因眾真齊來擁護，因而成為神聖場域，所以可以消災懺罪，請福延生。

在眾真擁護的神聖場域，可解人間有所災厄，此經對於解厄應驗，有明確的指陳：

> 大聖北斗解厄應驗曰：
> 大聖北斗七元君能解三災厄。
> 大聖北斗七元君能解四煞厄。
> 大聖北斗七元君能解五行厄。
> 大聖北斗七元君能解六害厄。
> 大聖北斗七元君能解七傷厄。
> 大聖北斗七元君能解八難厄。
> 大聖北斗七元君能解九星厄。
> 大聖北斗七元君能解夫妻厄。

---

38 《正統道藏・太上玄靈北斗本命延生真經》6b，第 19 冊，頁 7。

大聖北斗七元君能解男女厄。

大聖北斗七元君能解生產厄。

大聖北斗七元君能解復連厄。

大聖北斗七元君能解疫癘厄。

大聖北斗七元君能解疾病厄。

大聖北斗七元君能解精邪厄。

大聖北斗七元君能解虎狼厄。

大聖北斗七元君能解蟲蛇厄。

大聖北斗七元君能解劫賊厄。

大聖北斗七元君能解枷棒厄。

大聖北斗七元君能解橫死厄。

大聖北斗七元君能解咒誓厄。

大聖北斗七元君能解天羅厄。

大聖北斗七元君能解地網厄。

大聖北斗七元君能解刀兵厄。

大聖北斗七元君能解水火厄。[39]

七元君能解的災厄，包涵所有自然界一切現象對人所造成的威脅，也概括無形的力量對人生命的危害，無論是先天的天羅地網這些神煞或是後天咒誓復連這些威脅，全

39 《正統道藏·太上玄靈北斗本命延生真經》2b-3b，第 19 冊，頁 5-6。

都可以仰賴大聖北斗七元君的解救。

從大聖七元君可以解一切災厄的內涵中，可以了解道教的延壽科儀，從最初的延壽，延伸出排除世人生命延續的一切因素，至此，道教延壽科儀經典的內涵成為定式，儀式活動的內容或有變易，但北斗星君的神職神能盡包所有凡人生命困厄的內涵不變。

結 論

生的延續與死的逃避，是人類生命本能的願望，宗教信仰則是人類願望的寄託所在，祭祀即透過至誠的禱請，企望得到神聖的關懷，人們得以身心寬和，因而產生了種種儀式性的宗教活動，這些人們參與這些儀式性的宗教活動，其意義即在建構與神聖世界連結的通路，藉此由凡入聖，轉凡界為聖域。

道教是在中國文化的基礎下，自然發展而成的宗教，中國文化自來具有強大的傳承性與融合力。而道教的終極關懷在於生命，因此傳承古代人們以祭祀的方式，向超越的存在祈求延生長壽的方式，吸收民間許多宗教信仰中，關於延壽長生的祈神儀式及其他具體的養生方式，形成結合儀式與修煉術為一體的修行方式，以達長生不死的願望，既展現在道教的延壽科儀經典中，亦同時並見儀式與修煉術的內涵。

從道教的延壽科儀經典，可以看出延壽科儀的理論，是建構在道教神學的宇宙觀基礎之下，天地萬物皆由道而生，萬物之一的人當然也由道而生，並且天人同為一，均由道而生，故天人合一。

道無而生有，因此道以氣化的形式生成天地萬物，也以氣化的形式管理萬物，而氣化形式管理即由炁化生的先天神祇來管理萬物，所以世人的壽夭禍福，全在統御陰陽的神明監管之下。

從前面的討論可知，炁以光的形式表現其能量的轉化，神明也以光的形式展現能量的蘊藏，以形現則為北斗，以神稱則為星君，故而道教的延壽科儀，以祭斗星為主要結構。並以天體的結構，結合時間計算的循環特質，形成各星分職管理的概念，因而不同時間出生的世人，歸屬於不同星君管理，所以於本命日祭祀祈福成為重要的方法。

可見道教的延壽科儀，雖然吸收古代文化的祭祀傳統，但最重要而又具有特色的是經道教內涵轉化，具體呈現出道教的神學思想，從延壽經典的內容可以看出道化氣為神，神化氣生養人與萬物，人通過儀式與神相通，進而與道合真，道教的儀式是人與神、人與道、人與宇宙相合的路徑，人、神、道由氣串連的關係，而延壽儀式也指出人透過修行成為神仙回歸於道的修真之路，不同於其他修煉方式，延壽儀式可由道士擔任人神之間的溝通者，由道士引領信眾走向與道合真的神聖道路，因此延壽儀式是道士修煉的方式也是度人的方式，度人又是道士修煉成仙積功累行的途徑之一。與其他道教修煉方式比較，延壽儀式具有較濃厚的他力濟度色彩，如《三光注齡資福延壽妙經》中元始天尊開示行持志念此經的經德，是借由念經的儀式得道度化，《太上玄靈北斗本命延生真經》言及念誦太上七元君聖號得消除罪業之福，《太上玄靈斗姆大聖元君本命延生心經》中融入了內丹修煉的內涵。

總之道教延壽儀式雖然不脫他力救濟的色彩，但在時空的嬗遞之中也融入了道教不同道派的教義與神學思想，加重了自力修行的思維。從道教的神學思想與宇宙觀而言，道派的分別只是修煉方法和神譜系統的差異，但都以長生成仙為終極目標，其終極真實都是道，其中道、神、人的氣化串連的結構是相同的，因此道派不同修煉方法上的他力、自力比重也許不同，但他力與自力不可能絕然分割。無論在哪個時代或哪個道派人在道的追尋中，永遠須發揮自主能動的力量，才能走向回歸於道的途徑，神在人修道的路上擔任指引、關照、護祐的角色，而道則在永恆的那端讓人回歸於無。

本論文初稿宣讀於 2008 年佛光大學主辦第一屆比較宗教學國際學術研討會。

道教術數的現代應用——道教義理於命理諮詢的運用

前　言

命理在人類文化發展中，無論古今中外均可見其神祕蹤跡，算命行為包涵了社會、文化、心理多層面的元素於其中。在尊重文化多元價值的二十一世紀現代社會，從多元文化觀點看待算命行為，可發現這二十世紀初被視為迷信的行為，已經被新的觀點重新檢視或詮釋，例如說命理是種統計學，算命可發揮本土的心理諮商功能等。[1]

然而即使是處於被強力批評為迷信產物、全是江湖術士騙人把戲的年代，命理知識的傳承與應用，或因官方政策壓制，而隱藏於社會之中，卻從沒有消失過。這個現象，

---

[1] 台灣關於算命的相關研究，有楊映國：<命理產業與技職教育>，《中正高工學報》6 期，2007 年 6 月，頁 241-264。郭士賢；張思嘉：<類比思維的文化心理學意義：以算命行為為例>，《宗教與民俗醫療學報》，3 期 2006 年 5 月。羅正心：<算命技巧裡的語言表演>，《中央研究院民族學研究所集刊》，84 期，1998 年 12 月頁 37-60。林基興：<命術的科學人文觀[評王溢嘉《命運的奧義》、施寄青《完全算命手冊》>，《科學月刊》，28 卷 12 期總號 336，1997 年 12 月，頁 1048-1049。楊士毅：<由庫恩「典範論」與費爾本「任何皆可行」論算命>，《世界新聞傳播學院人文學報》，3 期，1995 年，7 月，頁 1-26。楊士毅：<從邏輯經驗論與否證論論算命的科學性、民主性--民間思想的改造>，《世界新聞傳播學院人文學報》，2 期，1995 年 01 月，頁 73-99。羅正心：<算命與心理輔導>，《本土心理學研究》，2 期，1993 年 12 月，頁 316-337。高國藩：<唐代敦煌的看相與算命>，《歷史月刊》27 期 1990 年 4 月，頁 10-28。張晃耀：<電腦在中國傳統算命系統上之應用>，《雲林工專學報》，9 期，1990 年 3 月，頁 163-186。趙玉明：<從紫微斗數說起--算命的社會心理與文化意義>，《中國論壇》，9 卷 10 期，1980 年 2 月，頁 41-57。學位論文有：李惠卿《文化、存在與心靈——以命理詢問者的心理現象為探析》，南華大學生死研究所碩士論文，民國 94 年。林以斌《紫微斗數的天人關係研究》，輔仁大學宗教研究所，碩士論文，民國 95 年。曾俊溢《算命的心理因素與動機研究》中華大學應用數學所，碩士論文，民國 97 年。陳宏儒：《命理人世界觀與人生願景之建構》，彰化師範大學輔導與諮商學所，碩士論文，民國 99 年。

古今中外皆是。

所以命理文化，可以說是人類面對自己生命發展趨勢或生活困境時尋求答案的共同思維方法。當然這個思維方法建立的前題是：人們認為人一生與世界的遭逢有一套理則，而命理就是推算這套理則的運算方法與詮釋。雖然古今中外都有命理文化，但是不同文化發展出來的運算方法因其文化的特質不同，有其特別的應用工具。在這些各具文化特色的工具中又可看見共同特質，例如以人出生的時間和天體對應的關係，發展出一套富含其文化元素，可規律運算的命理邏輯知識。

因此命理邏輯是否正確，是否經得起科學檢驗，固然是值得關注的問題，然而從社會行為的觀點，瞭解命理邏輯在人類社會的運用所發揮之功能與意義，也是針對算命行為可以進行的研究；從心理層面而言，算命行為揭露的心理活動和心理反應也有很多探討的空間。

然而無論學界從什麼面向去討論算命，算命的活動在中國古代社會，已進行了數千年，並發展出許多論命方法，這些方法在道教發展的過程中，也被吸收運用，因此在道教傳統術數的典籍中，有許多星命之書。《北斗本命延生經》中，可見紫微斗數的星曜為本命星官的說法，將本命星官納入儀式禮拜中，為人延生祈福。可知道教在發展的過程中，對於流傳於中國古代社會的命理邏輯，不但吸收運用，並加以轉換於其神學體系中，讓原先的術數進入道教之後有著創新的內涵。

道教雖然是個古老的宗教，然而瞭解道教史不難從中發現，隨著時代社會的變遷，道教始終貼著人們的生命需求調整他的內容，以達成「應運教化」的神學使命，為此道士不斷地尋找與創發許多相應於世人生命需求的道法，用以濟世度人，達成協助一般民眾解決他們生活問題的目標；或完成輔導民眾面對他們生命困境的任務。雖然這個宗教進入二十世紀的現代社會之後，受西方文化挾著優勢科技文明的批判，不像過去明顯地有新的道派團體應運而生，然而其生命力仍隱藏在社會之中，持續發揮。

以台灣為例，台灣雖然以科技產業聞名世界，台灣的道士在社會中仍承續道教以術濟世、以術傳道的傳統，為民眾除憂解惑。本文擬以松山台北府城隍廟的問事服務，表述道教術數於現代社會的應用，呈現以道教義理為核心，以命理術數為工具，道教如何結合自身義理與心理諮商觀點融入傳統的文化情境，為現代人排憂解紛。

一、松山台北府城隍廟的道士服務

台北府城隍廟，最早位在清代台北撫遠街後方（日據時代舊商工銀行後面，現在延平南路糖業大樓附近），創建於光緒十四年（西元一八八八年），每月初一、十五地方首長必須親赴祭拜，成為慣例。

當時縣城隍亦附設於府城隍廟之內，所以廟內供奉府城隍與縣城隍各有數尊。約在日據時代大正末年，因拓寬街道，府城隍廟被拆除，府城隍爺遷至松山虎林街三號同時新建「松山昭明廟」奉祀，廣受信徒膜拜。並於於 2002 年，經信徒大會決議復名，向台北市政府民政局申請，經核准復名為「台北府城隍廟」。

府城隍廟於 1994 年 11 月禮聘基隆廣遠壇李玄正道長為法務住持，為該廟信眾舉行道教科儀，定期的儀式如年初祭解、中元普渡、解冤赦結、春秋禮斗、半年補運等，信眾於每日道士服務時間，可進行祭解、補運、收驚等儀式。此外還有以紫微斗數提供信徒問事的公益性活動。[2]

李游坤道長道號玄正，為基隆廣遠壇李松溪道長之長子，於中國醫業學院畢業，三十歲正式學道，四十歲棄商從道。傳承父業之後，發願弘揚道法，廣收門徒，致力於道教文化的傳承與道教服務，創立丹心宗壇，開立道士培訓班，教授道教科儀。由此可見受現代教育的知識分子，傳承父親的道壇，自然產生現代與傳統融合的背景。李道長於其主持的醮事之中，也首創開放建醮內壇為信眾參觀

2 詳參附表一。

及開放女性進入內壇之例，可以看出是個非常具有現代思維的正一派道士，所以對於道士所寶祕的儀式，他以免費且公開的授課方式傳授給學生。

如此作風開放的現代道士，在面對信徒時，卻可以看見傳統道教義理內化於生命的特質，以下節錄幾段他對弟子的告誡：

> 我們的訓練除了科儀，就是服務。
>
> 替神、替人，這是我們的天職。
>
> 若只是為了賺錢，倒可不必來此工作。
>
> 服務就是讓我們學會謙卑，莫認為自己是先生，就一副先生氣太重，這將障礙我們自己學習成長之路。
>
> 人性是很難突破，習氣是很難改變，所以我們為何要修行，修正我們的行為，改變我們的態度，轉化我們的思維，變化我們的習氣。這才是最根本最實際的修行，養成一位道士最基本的功課，先學做人吧！
>
> 功夫是從信徒身上學來的。
>
> 難道你不該感謝給你服務的人嗎？

這幾段的教誡中，揭示了一個道士的定位：為天、為人服務。道士是天人之間的中介者，因此需要謙卑、不居功、欲學天道先學人道。這些都是道教經典裏的要義，只是李道長以台語告誡弟子，純是自然語言情境的展現，在他說話當時的意識中並沒有特意要彰顯哪些教義內涵，卻又巧合地顯露道教義理的一些內容：即道法無為以及應世教化的觀念。也就是說一個道教的信仰者，在長期的修行生活中，自然將道教義理思想，內化於自己的生命之中，這些義理思想也會自然表露於他的言語行為中。

李道長以此教化並要求他的弟子，所以松山台北府城隍廟中，道士的服務也透顯著內化於道士心中的道教義理。由於目前廟中服務的道士以三位輔仁大學宗教研究所畢業的碩士及李道長其他弟子為主幹，這些年輕的道士，受過完整的宗教學術訓練，再隨從李道長學習科儀課程。課程結束後，又完成師徒制的道教科儀實務實習後，正式為信眾服務。為展現他們的學識特長，讓他們除了科儀之外，還能應用宗教專業的學養提供信眾服務，李道長特別安排以紫微斗數替信眾解惑的問事服務讓弟子從旁紀錄，希望在替信眾服務的過程中，讓弟子們得到從信徒身上學功夫的效益。

前往廟中問事的信眾來源有兩個管道：一是知道廟方提供問事服務自行報名，此類佔問事人中少數；二是信眾於廟中進行科儀間，道士感知信徒心理為所遭逢之生活或人生問題受重大影響者，即主動徵詢是否願意排紫微命盤接受命理諮商。因此，不同於一般坊間紫微斗數論命以命盤解析吉凶之基調，紫微斗數問事除了依紫微斗數的推命理則論斷吉凶外，更重要的是提供適用的思維或方法，讓信徒了解吉凶之後，並得到如何應對的具體建議思維作為參考。

當今社會一般坊間術士，常以論命為名，藉口改運，向民眾賺取更多金錢。而台灣的正一派道士，收費有道教協會的公定標準，較為合理，因此很多民眾，在生活上遇到問題，想要採取道教科儀的處理方式時，會自行前往有道士住持的廟宇或道士的道壇要求法事服務。

所以前往松山台北府城隍廟進行道教科儀法事服務的信眾，他們並非為瞭解吉凶問題而尋求命理解析，而是完成為了祈求神明賜福讓他們的困境解除的儀式後，想要進一步瞭解問題而進行紫微問事。道士提供信眾問事的目的不在為其論定吉凶，而在於提供儀式作為心靈療癒之後，加強信眾的心理建設。亦即除了以儀式帶信眾進入與神聖合一的宗教情境，轉化信眾生命問題的焦著心境之外，還希望藉由紫微斗數這一套論命理則，提供信徒面對或處理問題的有益心法作為參考。而心法的內容以內化於道士生命中道教的義理為基調，以道士對應於信徒問題的生命體悟為契機，靈活運用平時的道法修煉以及過去所學的道教知識，粹煉其中精華提供信徒思考問題的方向或處理問題的方法。

李游坤道長當初提出這樣的構想，源自於如何讓門下這些新世代的道士，將道士服務的內容與品質提升，道士團的道士們也在平日的儀式進行與信眾接觸中感受到，有些問題除了做儀式之外，仍是要信眾回到自己的生活中轉變心念才能解決。筆者以為可讓道士將儀式的宗教療癒效果延伸，使信眾離開儀式場回到日常生活時，仍有與儀式連結的相應心法可應用。即以道教教義，提供信眾相應其問題的思維觀念，轉化其心態，延伸儀式的心靈療癒效果。李道長及道士團均認同此一方向，因此藉由紫微斗數問事形式實踐，這是新的嘗試，也是新的開展，更是道教術數的應用跳脫科學/迷信的爭論，在現代社會發揮文創智慧用以達成度己度人的可能方向。

二、命理推算於道教的理論基礎

術數在傳統文化中，有著長久的發展歷史，《漢書·藝文志》列天文、曆譜、五行、蓍龜、雜占、形法六種為術數。隨著時間推移，術數類型不斷增加，命理、地理、擇日、符法等都是術數。簡單地看待術數類別，即可以得知古人用術數輔佐人們處理生活問題。這些術數的類別也隱含著古人對於人的生命，生存於世間的認知與理解，可以簡單歸納兩個重點即：古人認為人的生活問題可以請神祇指點；而人的生命和天地息息相關，只要瞭解天地的理則就能瞭解人的生命理則。

因此《太平經》云：「人生皆含懷天氣具乃出，頭圓，天也。足方，地也。四肢，四時也。五臟，五行也。耳目口鼻七政三光也。」（卷 35）這種天人合一的思想，支持古人發展出瞭解天地理則，就能瞭解人生理則的想法，進而發展出以天地理則推算人的生命理則的術數方法。所以俞琰說：「人身法天象地，其氣血之盈虛消息，悉與天地造化同途。」（《周易參同契發揮》卷 5）周敦頤則說：「然陰陽五行，氣質交運，而人之所稟獨得其秀。」（《太極圖說》）

道教的宇宙觀是氣化的宇宙觀，道從無而有透過氣轉化，由氣生成萬物，道生一，一生二，二生三，三生萬物，萬物負陰而抱陽，沖氣以為和，葛兆光認為這樣一個縱向軸貫穿地來的宇宙起源圖式，於是自然、社會人都來自這樣一個源頭，所以自然、社會、人有一種同構關係連繫[3]，人和宇宙、人與自然、人與社會既有這種同構、同源的關係，他們各自對應的部分又可以互相感應，即為天人合一

[3] 葛兆光：《道教與中國文化》台北：東華書局，民國 78 年，頁 41。

的觀念。這樣的宇宙圖式與天人合一、天人感應的理念，運用於推算人的生命理則，則成為「命稟於陰陽，有生之初，非人所能移。莫之為而為，非我能必，於是有生而富、生而貴者，有生而壽，生而夭者，有生而貧，生而賤者。」[4]的命定概念，此命定概念是命理推算的前題，其源頭則是道教的宇宙觀。

傳統命理推算的方法種類繁多，其中需要依據個人的出生日期時間作命盤的論命方式，意味著人出生時天地陰陽五行的特質，就是該人所稟之氣的特質。這樣的觀念來自於人跟自然的同構關係，所以人出生當時天地陰陽五行之氣的特質，代表此人的生命特質。而此一生命特質內涵蓋了陰陽五行的元素，因此將人的陰陽五行生命特質作為基準，運用陰陽五行的變化理則，對應所處的天地陰陽五行的特質，從其中生剋的關係，可以判斷人和天地之氣對應結果的吉凶。

因為人一出生就決定了所稟的天地陰陽之氣的特質，所以人生命本質的陰陽五行特性是固定的，而天地陰陽之氣的消息變化有一定的律則（古人用十天干、十二地支及六十甲子表述這個律則），萬事萬物都由氣而生，離不開氣的運作，因此命理可以推算人與天，人與人，人與物，

4 許紹龍編校：《三命會通》，卷1，台北：培林出版社，頁4。

人與事之間陰陽五行對應的關係，所有的吉凶都在氣的運轉之下，論命就是將人與天地陰陽之氣的對應關係，依陰陽消長五行生剋之理，將其中的象徵意義，做生活事件或生命特性的解讀。

捷克醫師尤金約・納斯提出一個觀點，即嬰兒在誕生那個時刻，新陳代謝可以說達到了巔峰。他會將腎上腺素釋放可母體的血液中來促進自己的誕生，他的實驗顯示，這個巔峰時刻往往會在個人的日月形成某個角度時出現。[5]這個論點說明了胎兒的出生與當時的天體環境有密切的關係，這種說法和中國命理推論的稟氣說是可以對應的。

這種推論方式是否科學，有待科學界和命理研究者進行更多的研究，畢竟二十世紀初科學對人體的氣及經絡尚無法證明，二十世紀末人體內的氣與經絡可用儀器測得的資訊，在台灣已成為一般人的常識，如果在本世紀中科學界能發展出顯示陰陽五行之氣的工具，也許吾人能見到傳統的命理邏輯的科學解釋。

相信命理、運用命理的人視命理邏輯為真實可信的，經過長期間的淘洗，許多人仍然借用這些方法排解他們生命中的困境，這裏面含藏的文化意義與生命智慧，倒是不需等待新科技的支援就可探索了。《黃帝內經》中有一段

---

[5] 史蒂芬・阿優諾著，胡因夢譯：《占星、心理學與四元素》心靈工坊文化事業，2008 年 6 月，頁 61。

內容，提到了古人對於術數的應用：

> 黃帝問於岐伯曰：「餘聞上古之人，春秋皆度百歲，而動作不衰；今時之人，年半百而動作皆衰者，時世異耶？人將失之耶？」岐伯對曰：「上古之人，其知道者，法於陰陽，和於術數，食飲有節，起居有常，不妄作勞，故能形與神俱，而盡終其天年，度百歲乃去。」（＜素問・上古天真論＞篇第一）

岐伯指出上古之人，和於術數，若將此術數限於術數類的養生之術，也無妨於我們瞭解古人應用術數調和生命的意味。

因此如果從調和生命的角度運用命理，那麼，命理諮詢即可進入心理輔導達到心靈療癒的層面。由道士進行的命理諮詢可提供具有道教文化意涵的思維或方法，提供民眾進行生命問題的處理依據。

道教是個重視生命價值、追求生命永恆的宗教，其生命文化相較於其他文化，更重視現實生命的肯定以及生命的自由與快樂，這種生命文化對身處高度競爭壓力的現代人而言，實具協助人們離苦得樂的積極效益。

三、紫微斗數的人生棋盤之心靈療遇

命理是否經得起科學檢驗有待科學檢驗工具的發展，但所有的推命術均有其自成系統的推算理則，流傳於今的推命術，則是經過時間的篩揀，在時代的河流中累積許多驗證的統計成果，也是這些驗證成果讓這些推命術在沒有科學背書的現代社會，依然被相信者運用，也被認同者信任。跳脫科學或不科學的論辯，論命的文化現象有其自身的文化現實意義。

紫微斗數是以紫微星為主的十四星曜排列，用以詮釋人一生富貴福壽情的對應關係，來自於古代的星命觀，在《太上玄靈北斗本命延生真經》中敘述漢桓帝永壽元年正月七日，降授張道陵此經。內容指出不同年出生者分屬貪狼、巨門、祿存、文曲、廉貞、武曲、破軍、外輔、內弼主管。太上老君同系列降授經典《太上南斗六司延壽度人妙經》則指出南斗天府、天相、天梁、天同、文昌、天機六星君，紫微斗數的十四顆主星分別是：北斗星系的紫微、貪狼、巨門、廉貞、武曲、破軍六星；南斗星系的天府、天機、天相、天梁、天同、七殺六星，加上中天太陽、太陽二星。可見紫微斗數與星命信仰文化的淵源，星命信仰則是道教宇宙觀對應於人與自然關係神格化的呈現，因而星君對人的生命有實際的影響。

紫微斗數的論命形式是依人的出生年月日時間，排出命宮、兄弟宮、子女宮、財帛宮、疾厄宮、遷移宮、奴僕宮、官祿宮、田宅宮、福德宮、父母宮等十二宮位，此十二宮位各有其基本含意：

命宮：人一生的一切與運勢。

兄弟宮：個人與兄弟關係及運勢。

夫妻宮：個人與配偶關係及運勢。

子女宮：個人與子女關係及運勢。

財帛宮：個人的金錢狀況及賺錢方式、金錢運勢。

疾厄宮：個人的身體健康運勢。

遷移宮：個人的對外關係及外出運勢。

奴僕宮：個人與下屬的關係及運勢。

官祿宮：個人的學業、事業狀況及運勢。

田宅宮：個人的田宅狀況及運勢。

福德宮：個人的福德。

父母宮：個人與父母的關係及運勢。

隨著時代發展，這十二宮的詮釋有延伸擴大或轉語的現象，如奴僕宮的解釋在階級社會的時代，指的是奴僕，現代社會命理師都以下屬為論述對象，而後擴及同事、交情較淺朋友，並轉語為交友宮。兄弟宮則延伸到較好的朋友關係，福德宮則不只是人與超自然關係，也從人的精神層面作解釋，子女宮除了子女之外也看晚輩的關係。夫妻宮則延伸及戀人、戀愛運，田宅宮也從家宅的具體對應擴及家庭關係，甚至延伸作為工作環境的解釋，官祿有時是論斷官司的指標，遷移宮則包含外在表現，父母宮則看長輩、上司緣與貴人運。

此十二宮位以個人為核心，標示出世人對於個人所關懷的人事物。事實上一般人的生活或生命出現困境大都可歸類於命宮以外的其他十一項，其中包含了人在生命中所有與生命及生存相關的重要關係，如：父母、子女是屬於最核心的親子關係，夫妻則是親密關係，兄弟則是核心的親屬及人際關係，奴僕宮代表的是人與下屬的關係，疾厄宮代表的是人和身體的關係，財帛宮和田宅宮代表的是人的動產與不動產之的關係，福德宮則是人和超越自然存在的關係，官祿宮則是人的事業關係。

命理推測的理則，是否能準確預測人一生的命運？以科學標準而言，似乎必須先確立人的生命發展與自然同構，然而就算命文化本身而言，算命的行為背後，有著深刻的生命文化意義。首先論命者和求算者本身對於生命的認知，是接受天人共構的思想的；其次人們對於生命的關懷，聚焦在富貴福壽情上；此外古人對於生命的問題，已經發展出系統化的抽象詮釋模式。

以紫微斗數論命為例，十四星曜各有星性，論命即是依照命盤的排列程序，依照人的出生年月日時，佈十四星於命盤上，再加上其他次星，依星性的特質對應宮位主體，予以解說。星性是將現實事物抽象化、概括化之後，以星作象徵對應於人的生命問題中。若從命理的角度看待生命，命盤的意義是人一生下來就面對了一個布好棋子的棋局，命主就是下棋的人，對手是生命發展。人生棋局有其遊戲規則，其變化理則與天地宇宙交互作用，命盤上星曜的分布，就是個人生命與天地宇宙變化理則反應的密碼，密碼可解開一道道命主與天地宇宙對應習題的答案。人在生命歷程中的每一個問題，猶如一顆棋子，每一個選擇，代表每一手的落點。人與生命發展這個對手下的棋局有勝負標準，勝負標準的依據是按社會價值與標準訂定的富貴福壽情。

在前面的比喻中，算命行為意謂著命主面對生命的棋局，舉棋不定時，尋求專業棋士的幫助，嘗試透過諮詢論命者取得贏棋的密訣，以確保自己不會失敗，或是節節敗退後，尋求支援以圖反敗為勝。

因此算命行為實際上是個生命交流的過程，透過論命者與求算者共同認同與信賴的推命術為工具，具體展開對於生命問題的逑說與論述。多數的求算者帶著個人的生命問題或生命情境的困境前往命理師處求算，希望達到指點迷津的效果。就像學生遇到不會的功課，翻閱參考書時，會先看答案一樣，求算者算命的目的也是想先知道生命問題的答案。命理師則代表著擁有教師版參考書的老師，比學生於其生命棋局有較多的背景知識和專業的理解能力。

看參考書的學生，可能先看答案，把問題和答案背起來，下次看見同樣的問題，直接填上標準答案。也可能從答案推回問題，得到解答的能力，再遇相似的題目能靈活解答。教師可以教授解答技巧，讓學生完成功課，也可以傳授學習的方法，讓學生習得解決問題的能力。

當求算者帶著自身的生命問題尋求解答時，必先述說他的生命問題，論命者再藉由命盤針對求算者的生命問題做陳述，求算者在述說時已對論命者展現他的生命，論命者在解讀時，縱然是依據命盤顯示的內容解讀，卻已然帶著自身對於這些生命問題的了解，以及對於星性象徵中生命意義的體會展現他自己的生命於求算者，故而兩者之間的生命交流在算命的過程中自然呈現，而推命術在算命行為中擔任的是生命敘說的引線，將求算者與論命者的生命體驗連結在算命的歷程中。

論命者和其他心理輔導者在工具的使用上，較為不同的是推命術這個工具具有直接論述生命的優勢，根據余德慧對有過算命經驗者的問卷結果顯示：算命先生推論過去準確的認同度高。[6]當求算者認同論命者對於自身生命過程的論述內容時，求算者與論命者此時會自然進入彼此認同的心態，求算者認同論命者所述，而論命者則藉由其對求算者命盤在命理象徵意義上的生命體會，產生對求算者的同理心，因此論命者透過命盤對求算者的生命問題作象徵特質的詮釋時，往往能引發求算者對自身生命問題的回顧與省思，達到自我澄清的作用，同時藉由星性的象徵解釋，求算者在自行驗證的過程中，有高度被理解的感受，可能引動更多的生命敘說。

在這樣的歷程中，傳統的算命行為具有很好的心理輔導、心靈療癒的發展潛力，故而本土心理學者們並不反對算命師扮演著本土心理輔導師角色的說法。只是一般術師受限於其文化素養與生命資源的缺乏，只能以自身的生命經驗與求算者進行生命交流，未能運用推命術中高度抽象化的象徵語言，解讀命主的人生棋盤，讓求算者習得理解生命問題、解開生命問題的能力，達到更好的心理輔導效果。

在這個問題上，松山府城隍廟的年輕道士們，具有完整學院訓練及專業的宗教文化背景，運用所學習紫微斗數融合道教教義，以自身的生命體驗和前來問事的信眾做生

[6] 余德慧等著：《中國人的幸福觀》台北：張老師出版社，民國 76 年，頁 118。

命的交流，運用術數幫助世人調和生命，在日積月累中應能藉由論命發揮較好的心理輔導效果，為其度化世人的志業增添一項好用的工具。

人的行為由思想決定，思想又受認知觀念的影響，人生的發展實質上是由一連串行為與行為後果的對應累積而來的。因此雖然推命術的前題是人生而有命限，但是並不是所有人的生命都落在不得動彈的命盤中，古代命術家對此早有所悟，育吾山人於《三命會通論》中闡述造化之始云：

> 莫有人生而富、生而貴者，有生而壽，生而夭者，有生而貧，生而賤者，有生而富貴雙全，巍巍上者；有生而貧賤，兼有落落人下者，有生而宜壽而反夭閼，有生而夭而反長年，之數者，謂由於所積而然與，亦由於所性而然與。謂由於所積，則貧可致富，賤可致貴，夭可致壽，古所謂人能勝天者也。謂由於所性以得乎，富貴者終於富貴，貧賤者終於貧賤，壽夭者終於壽夭，古之所謂命不可移也。夫謂之積，則不可專以為命。[7]

育吾山人認為命運固然是人生的基本走向，但是人的

7 許紹龍編校：《三命會通》，卷1，頁4。

行為累積會改變命運，如果人不發揮主體作為，任由天性行事，那麼其生命依著天生的理則走，該富貴的富貴，該貧賤的貧賤。若是人能發揮主體作為，其作為的累積可能勝於天定。

道教繼承先秦以來的天命思想，融入其神學體系的星君概念，其對於人的生命發展觀點，匯整了人的行為與神力支援的內涵。因此命運並不是牢不可破的律則，只要能依道修煉，人可能轉化生命，自然可以不在命運的限定中，也可能經由神祇的佑助，脫離命運的枷鎖。可見紫微問事服務的開展，仍是基於道教自力修行轉化生命的教義上，希望透過紫微斗數與信眾進行生命對話，從而融入道教的思想義理，讓信眾能得到思維轉化進而解除心中憂煩。

四、道教文化內涵於第三者問題命理諮詢之應用

松山台北府城隍廟的紫微問事以法事的後續服務的對象居多，其諮詢問題則較集中於法事服務對應的項目，平日法事服務中斬桃花儀式，為處理兩性關係中第三者問題的法事。愛情的獨佔性與變異性是人性的根本問題，嫉妒與負心自古成為兩性之間的難題。

然而外遇不僅是感情問題，同時還牽連到經濟問題、親子與社會關係，這些牽連古今皆然，只因社會生活型態

的變化，婚姻中的外遇問題有與時俱增的現象，依道士們的經驗，進行斬桃花儀式後，有相當高的機率得到信眾回饋，說具有成效，但是一段時間後，又再度登門，也就是復犯率也高。

在傳統命理的理則中，確實有所謂命帶桃花或命犯桃花的觀點，以紫微斗數的南北斗十四正曜中，就有貪狼桃花星、廉貞次桃花星之分，又有紅鸞、天喜、咸池、沐浴等代表桃花的次星。

桃花在民俗中，以其野性，通常被人們以負面意義認知，於是命理中的桃花，也就染上野性色彩，進入法術中的斬桃花，即成為不倫關係的象徵。

然而桃木在道教文化中具有特殊意義，許多法器都是由桃木所製，因此桃花的力量絕非負面。

神話最能表現文化象徵，《山海經・海外北經》：「夸父與日逐走，入日。渴欲得飲，飲於河渭，河渭不足，北飲大澤。未至，道渴而死。棄其杖。化為鄧林。」[8]《列子・湯問》則說「棄其杖，屍膏肉所浸，生鄧林。鄧林彌廣數千里焉。」[9]在夸父追日的神話中，夸父倒下之後，手持的木杖化為鄧林即是桃林，而列子更進一步說夸父屍身浸潤木杖而生出數千里的桃林。從這兩則神話看，桃樹象徵著

[8] 徐志平編註：《中國古代神話選注》台北：里仁書局，2006 年，頁 39。
[9] 徐志平編註：《中國古代神話選注》，頁 39。

強大的生命力。追日的夸父本身就是強大生命力的象徵，並以強大的企圖心和意志力展現他的生命力，這樣的生命動能不因生命消失而消失，彌廣千里的桃林就是他強大生命能量的延續。桃花在中華文化中象徵著青春生發的動能，《詩經．國風．周南．桃夭》云：

> 桃之夭夭，灼灼其華；之子于歸，宜其室家！
> 桃之夭夭，有蕡其實；之子于歸，宜其家室！
> 桃之夭夭，其葉蓁蓁；之子于歸，宜其家人！

此詩藉由歌詠桃花起興，實頌青春女子帶著旺盛的生命力能興旺壯大男方的家族。了解桃樹具有強大生命力的文化內涵後，再尋思桃花的意義，不難看出桃花是強大生命力以最外顯、最吸引人的方式展現。

在命理思維中以桃花表徵欲望，其實是文化思維下的產物。欲望在道教並不被禁絕，只是主張要節制。這正可以說明斬桃花的法術可見一時成效，卻回復機率高的原因，因為欲望不可能斷絕，斷絕欲望等於斷絕生機。

因此當信眾因夫妻外遇問題前來問事時，運用道教的文化意涵可以提供當事人一個新的思維方式，即另一方的出軌，來自於強大生命力的誤用與誤認。把當事人從與伴侶對立的角色抽離，此時命理是項好工具，基於文化認定，告訴當事人命盤裏有這樣的氣息，所以發生了這樣的事，他不是故意的。通常這句話就能讓當事人的對立心態鬆動，從心理反應而言，親密關係受挫，最難以接受的是因關係的破裂產生的自我價值嚴重失落的自我否定。當意識到對方的行為不是有意針對自己的，自我價值就不會嚴重失落，所以通常能夠接受他不是故意針對自己而外遇的想法。進入這樣的心理狀態，即可運用一些諮商技巧，讓當事者澄清問題，找出自己心中真正的想法。

會進行斬桃花儀式的信眾，當然還想待在關係裏，因此最重要的是修復關係，人的想法決定心態，心態影響對待行為，因此讓當事人了解他的伴侶錯用了欲望或錯認了欲望時，可以讓當事人脫離自我貶抑、憤怒指責、絕望的心靈陷阱，進而願意積極作為。此時讓當事人認識桃花的強大生命力意涵，讓當事人了解對方的生命氣息處在對於感情的追求有強大的動能狀態，那麼就在兩人的關係裏面去滿足這股動能，讓生活多一點情感的互動活水，把對彼此的愛與尊重找回來。桃花在他們的關係裏就會對他們展現活潑熱情的生機，外遇的危機此時就可以成為找回夫妻間的情愛的轉機。

事實上桃花所象徵的強大動能，沒有好壞之分，就只是天地生發的一股氣息，吉凶來自於人們對應此一氣息的作為。在命理之中桃花為吉會以有人緣、有吸引力、感情親暱表述，凶則用有「爛人」緣、不倫關係、情劫表述。

從道教哲學中的氣與心之間的關連性，理解命理中的桃花問題，桃花即是感情欲望生發的象徵，這股氣息是生命氣質和天地氣質對應而生的產物，因此人進入那樣的氣息狀態就會有相應的心理趨向，即氣會影響心。用命理告訴信眾，他流年走到這裏會有這樣的現象，他不是故意要這樣的。這是《雲笈七籤》中「氣為神母」[10]的觀念應用。

人處在沒有覺察的心理狀態中，通常會隨氣而行，而氣有實在性，氣的實在性呈現，就形成了具體事件，但是心和氣有互相生成的特質，所以發現具體事件時，運用道教義理的思維，提供讓信眾運用心的力量產生調和之氣，以氣應氣，這又是《雲笈七籤》「心為氣馬，意到氣到」[11]的觀念應用。

五、道教術數應用於命理諮商的可能方法

道教文化源自於長生不死的探求，蘊藏著廣大多元的知識內容，其發展始終扣著人的生命問題。雖然古代道士追求的終極目標是長生成仙，但成仙的基礎卻來自於會死的生命，為了避死求生，爭取得道成仙的機會，道士必須運用許多方法解決自身生活與生命的問題，而行善度人又

10 張君房編：《雲笈七籤》，卷 59，自由出版社，頁 835。
11 同上，卷 88，頁 1247。

跟成仙相關，因此道教眾多的術數，向來是道士自度度人的方法，其應用於生活層面原就廣泛。

然而時代變遷，人們對於生活及生命問題的認知有其時代性的差異，道教術數對於人們生活或生命問題的應用，需採取適用新時代的創造性應用。要將道教意涵運用於命理進入心理輔導層面，需援引諮商助人技術。西方心理學發展出來的許多諮商助人技巧，道教術數的特質在於問題解決，相當適用於「焦點解決諮商」的技巧。

焦點解決諮商又叫焦點解決短期諮商(Solution Focused Brief Therapy 簡稱 SFBT 是由 Steve De Shazer 和 Insoo Kim Berg 在美國密爾瓦基的短期家庭治療中心所研發出來的)是一九九〇年之後盛行於美國的新興治療學派。其理論與概念可用簡白的話語闡述，不須涉及深奧的心理學與心理諮商知識論，易懂易學，有實際練習操作的具體方法。在短期訓練期間內，沒有諮商專業背景的助人者也可以學會。[12]

焦點解決的理念與方法有以下八個重點：

（一）試圖改變個案看待問題的角度。

（二）改變「先尋找原因、後解決問題」習慣。

---

[12] 本文焦點解決諮商理論說明，引自陳秉華等著：《焦點解決諮商的多元應用》第一章，李玉嬋著，<SFBT 的基本認識>，張老師文化事業，2006 年 7 月，頁 013-015。

（三）捨棄原先觀點，轉換另一理解。

（四）堅持不懈地思考解決問題之道。

（五）激勵個案在懸而未決的問題情境中保持希望。

（六）選擇以正向意義詮釋問題。

（七）尋求成功的例外經驗。

（八）營造小改變，累積大改變的力量。

道教義理對於人生觀點跟世俗的人生觀點相較之下，多了些超然自在的追求，這些內涵運用於「改變個案看待問題的角度」、「捨棄原先觀點轉換另一理解」兩種理念方法上有本質上的優勢。術數之於道教本是對應問題的解決而生，這種諮商性質也不可能長期，沒空間把時間花在找問題上，本就符合第二項原理。堅持不懈地思考解決問題之道，可配合道教存思的方法，將存思應用於思考解決問題的情境，可強化其堅持不懈的心靈能量。宗教信仰原就是提供信眾在懸而未決的問題情境中看見希望，而道教種種法術原是為了尋求成功的例外經驗而生的，術數實行的方法，也可應用於營造小改變，累積大改變的方法。因此焦點解決的諮商技巧，運用於結合道教義理與術數的命理諮商，在屬性的接合上有契合性。

焦點解決對人與問題的看法有以下五點：

（一）每個人都是自己問題的專家

道教教義在這個概念上是相呼應的，但是更充分完備，每個人內在都有道性，人有能力體悟此一內在的道性，自然都可以是自己的專家。

（二）人有足夠的資源和能力自行解決問題

就道教而言，人稟道而生，具通道的能力，道於無中可生有，因此在先決條件上人有足夠的資源和能力解決問題。

（三）解讀問題的信念會影響建構解決的經驗

解讀問題的信念決定於一個人慣有的思維模式，對生活或人生感到困擾時，通常是陷入慣性的思維中，道教義理常有超越世俗的思考方向，對問題信念的解讀可提供不同的方向。

（四）成功的經驗會改變對解決問題的描述與看法

這點道教術數在應用上也有先天優勢，通常信眾基於其對神明的信仰，不然就是在過去或他人那兒得到儀式對於問題解決的成功經驗而來，只要增強其信心，自然會改變其對解決問題的看法。

（五）人都有問題解決的動機，只是知行尚未合一道教義理與術數的可操作性，結合應用於命理諮商，具知行合一的結合功能。

焦點解決於諮商員所要求的基本素養如下：

（一）相信人的潛力和改變力量

相信人的潛力和改變力量是道教信仰的核心。

（二）聚焦於個人的正向力量資源

道教所有的修行都聚焦於個人的正向力量和資源。

（三）以言語重新架構賦與問題新意義

道教經典中有豐富的言語提供問題的新意義的賦與。

從上列三大項焦點解決的重要概念看，援引此一助人技巧運用融入道教文化內涵的命理諮商上，有其相應性。

以下舉例說明其實際應用狀況：一位生病的六十多歲女性信眾，問身體健康，陳述患有腫瘤，不選擇開刀切除。

單純的疾病問事背後含藏了一個老人的淒涼晚景，老人從事清潔工作，有三個兒子。老大、老二各自成家，小兒子是啃老族，老人要替他付房租、水電、生活費。如果老人沒錢給他，就會去工作場所鬧，威脅老人不給錢就天天來鬧，讓老人無法工作。老人生病不敢讓家人知道，也不能停工休養，她沒有積蓄要養活自己還要養四十歲的無業兒子，也不捨得要另外兩個兒子孝養她，她只擔心自己病情惡化。

在改變個案看待問題的角度上，先從她以為自己是孩子的母親，對孩子不能放手的心結入手，讓她了解，「道」為萬物之母，沒有她，她的孩子有「道」照顧，在陳述時把「道」具體化為神明、道祖。讓她改變原先「只有她可以養她兒子」的觀念，轉化成「兒子的生命不是她犧牲自己可以成全」的想法，但是要給她一個「沒有她，兒子還是可以活得好」的希望。那個希望就是讓她的孩子回歸於道，所以她必須做些努力，讓兒子回歸於道的懷抱，具體的方法是她必須對兒子放手，讓孩子對自己負責，不忍心只是促成孩子對母親的不孝和殘忍，這樣他是沒辦法得到神明的保護與愛養的。

要一個母親對溺愛的兒子放手，通常以「這樣會害了孩子」為告誡，這句話對孩子還沒偏差的母親或許有警戒作用。但是跟一個六十幾歲生了病還不敢放下工作，得賺錢養四十歲的無賴兒子的母親，說這樣會害了孩子，於她無益，害處她已看到了，她正在承擔這害處的後果。因此在助人技巧裏，這句話轉化成「這樣會讓孩子失去能力」，接著還是要從認知上讓她改變想法，給她一個新的認知，但這認知之內含帶著希望。

在正向意義的詮釋上，則以《太平經》中自愛自養的理念表述：

> 人欲去凶遠害，得長壽者，本當保知自愛、自好、自親，以此自養，乃可以無凶害也。身得長保，飲食以時調之，不多不少，是其自愛自養也。[13]

以自愛、自好、自親的態度對待自己，即能去凶遠害得長壽，這是長生的方法，也就是將道的創造性落實在個人的生命對待上。生命包涵了生理跟心靈的兩個要素，生理的保養在於飲食起居的調養，能對應時需，不多不少就是自愛的自養，心靈的養護，同樣需要自愛自親的滋養。

人是可貴的，生命是可愛的，在道教的理念中這是先驗的價值，因人的生命來自於道。道教的終極關懷是道，人的生命就是道的一部分，對人這個主體而言，尋道證道的途徑，最直接而可行的自然是即身求道，即生證道。《太平經》說：

> 人命近在汝身，何為叩心仰呼天乎？有身不自清，當清誰乎？有身不自愛，當念誰乎？有身不自責，當責誰乎？復思此言，無怨鬼神。[14]

人對於自身的生命有責任，也能發揮主體性，這種自

---

13 王明：《太平經合校》，卷 102，北京：中華書局，1979 年，頁 466。

14 王明：《太平經合校》，卷 110，北京：中華書局，1979 年，頁 527。

清自愛自責的態度，就是對自己的生命負責。沒對自己負責之前，無法對他人盡責，因此《太平經》又說：

> 夫人能自養，迺能養人。天人能自愛，迺能愛人。有身且自忽，不能自養，安能厚養人乎哉？有身不能自愛重而全形，謹守先人之祖統，安能愛人全人。[15]

只有善待自己的人，才能善待別人，《太平經》自養而後才能養人，自愛而後才能愛人的理念，表述生命的分享是以自我對待為基礎擴展開來的，缺乏自愛自養的生命，沒有延展性，因此無法愛人，即便有心愛人，其愛因缺乏真實的力量，無法滋養他人生命。

簡述上述自愛自養的要義，讓她找回對自己的責任義務，和自己的身體和解，用愛對待自己。然後教導相對應的服氣法，讓她除了服藥之外，還能有具體的作為，為自己做些小改變，以累積大改變的能量。這個個案在諮商後，據親友的回報，回去後她每天服氣，精神體力都變好了，氣色變好，心情也變好，不久後介紹另一個只操心子女、不愛自己的可憐媽媽前來問健康和子女。

然而西方心理諮商對於個案，諮商員不提供答案不提

15 同前註。

供方法的輔導前題是西方心理諮商進入東方文化體系，處理東方人的生活或人生問題時所面臨的發展困境之一。因此台灣的心理學界與諮商研究者，仍致力於發展出適用於自身的本土心理學及諮商理論。因而將焦點解決諮商運用於結合道教義理與術數的命理諮商時在理念上也會面臨此一不相合輒之處。

也就是說焦點解決諮商認為：個案來到治療室並不是帶著問題來尋求協助，而是已經帶著解決方法，只是需要有表達的機會。諮商者只是幫助或引導個案找出他自己的有利於解決問題的想法或方法，而不是提供諮商者對於個案的問題的解決方法或想法。命理諮商卻是諮商者提供人生問題的吉凶的判斷，因此即便援引道教義理或術數讓信眾改變想法或作為達到心理諮商的效果，都不能說是完全符合本來理論內涵。

從諮商理論的本位上看，這確實是有著差距，從道教神學的角度而言，這個問題可以圓說。因為人稟道而生，人的內在本來就具足所有道的屬性，道教的義理與術數也都內涵於人的道性之中，所以個案是帶著解決的方法來的，只是透過道士這個中介者，把信眾跟道性又連結起來。現象上是道士提供了自己的想法跟方法，實際上道士只是提供了道的方法而信眾還是發揮自己的認知作用，是信眾內在的道性呼應道士所提供的道法，讓信眾願意採納這些觀點和建議，這意味著信眾內在找回了解決方法，發生療癒的還是信眾自己。

從學術的角度言，理論上的矛盾問題正是往後可再進行討論與發展的空間，回歸於應用面，心理諮商的目的，在於透過助人者的協助讓求助者得到心情轉變得到療癒的效果，任何工具能夠達到這個目標，就算有益，靈活運用在實務面並無害處。從這個觀點出發，心理諮商的許多治療法的理論或觀念還有許多可與道教結合應用的空間，如：現實治療、意義治療、森田療法、認知治療法、超個人心理治療、內觀療法、田園治療。甚至於道教可以發展道教音樂治療、導引治療、存想治療、誦經治療、起居治療、儀式治療，來幫助信眾達到轉化心靈離苦得樂的效果。

因此，學習運用這些助人技術有益於發展道教濟世度人的新平台，也有助於心理學界發展出相映於中國人生命情境的本土心理治療理論和方法。

結語

心理學家強調，如果心理治療的思惟離開傳統的背景邏輯，就會變得很弔詭；這個背景包括了宗教、民俗、人類學、哲學等等，因此西方的心理治療概念無法完全移植東方處理東方人的心理問題。

科學觀點認為，心理是大腦的一部分，它不可能與大腦相分離，臨床心理醫師塔利爾（Talyr）談及信仰與治療時，提出疾病產生的三種原因：一是身體各部之間可能發生不平衡；二是細菌、病毒的感染；三是神經系統控制失調所引起的分裂。決定健康與疾病的因素都是身心靈的作用，情緒有問題、精神狀況不佳的人，都絕不是單純器官出了問題而已，反倒是與心理狀況的關係比較密切，這些紊亂都會產生身體組織與功能的變化。於是米亞斯（Myas）相信，如果心理本身與外在接觸，都能平和安靜，整個系統才能合理發生作用。[16]道教修行所要達到的目的，就是與道合一，在道教的義理中，外在世界是道的顯現，因此與道合一的意義在個人修行的心理層面表現，即是心理本身與外在世界接觸平和安靜，這也是《黃帝內經》「和於術數」的意義。

道教廣大的術數世界裏，蘊藏著道教宏深的義理內涵，這些文化資產只要應用得當，對於世人的生命情境與生活困境均能提供有效支援。呂鵬志於其道教哲學中言及氣有實在性，心有內在性，道教把心與氣掛在一起，目的是將通向超越的道的兩條路徑串連起來，用公式表示就是：實在＋內在＝超越。[17]運用術數作為解析工具與心理諮

---

[16] 游乾桂：《用佛療心》遠流出版事業，2001 年，頁 135。
[17] 詳見呂鵬志：《道教哲學》文津出版社，2000 年，頁 36。

商結合，為信眾排憂解紛，即是實在＋內在＝超越的操作實踐。

當信眾帶著實在的問題前往求助時，運用術數讓信眾的內在得到澄清，進而以道教義理協助信眾進行內在更新，尚可加入其他強化身心能量的術數幫助信眾提升生命活力，因此信眾生命中的實在問題，經過內在心靈的轉化之後都成為超越契機。把道德經中「禍兮福所之倚」的觀念應用為面對困境時的正面思考。如此活用道教龐大的文化資產，將可以建構一套特色與成效兼具的道教諮商體系，可望發展為中國本土心理諮商的重要理論與技巧。

本論文初稿宣讀於 2010 年 11 月廣東羅浮論道學術研討會。

附表一

台北府城隍廟道士法事服務

一、年度法會：

1、正月藏魂

2、正月二十四日 天官賜福•五路財神招財補庫大法會

3、二月初三日 文昌祈福大法會（免費）

4、六月六日 開天門•年中祈福補運大法會

5、七月初一、十四、二十九日 中元報恩超度大法會

6、十月十六日 下元解冤赦結大法會

7、十二月二十四日 開運大法會

二、平日法事服務：

【一】小法

1、祭解

2、祭車關

3、祭草人

4、斬桃花

5、斬流蝦

6、斬刀箭、鐵掃

7、收驚

8、藏魂

9、符籙（主要常用的淨符、青驚符、保身符、安胎符、除穢符）

10、收魂

11、祭煞

12、神像、山海鎮、法器等開光

13、神像退神

14、神明安座

15、安神主牌

（9～15 目前由李道長服務）

【二】科儀

（一）正一補運玄科

1、身體。2、運途。3、事業。4、姻緣。
5、考試。6、訴訟。7、手術。8、本命日

（二）正一超度玄科

1 祖先、六親。2 冤親債主。3 嬰靈。4 無主遊魂。
5 地基主。6 陰公。7 動物靈。

（三）正一招財補庫玄科

農曆每月十七日

（四）正一延壽玄科

三、咨詢服務：（免費）

星期二下午、星期六上午，紫微斗數命理服務

四、點燈祈福：（免費）

本命元辰祈福

附表二

問事儀節

老師：

日吉時良 天地開張

恭對 道德天尊 救苦天尊 普化天尊 玉皇上帝 紫微大帝 南辰北斗星君 天師真人 北帝真君 保生大帝 周公文王 八卦祖師 王禪老祖 希夷先師 城隍老爺 福德正神（神咒：淨心、口、身、北斗咒），天師門下弟子李玄正代為通傳，奏報信士○○○（地址、名字、生辰），以命盤熏於爐上，致敬祝曰：「天何言哉，叩之即應；神之靈矣，感而遂通。今有某姓有事，請示分明。」

引進：

請跪，雙手拱抱，弟子○○○代為稟奏恭對 道德天尊 救苦天尊 普化天尊 財神爺 城隍老爺聖前。弟子（姓名）有事請問，一心誠敬，請示分明（請信士稟明姓名、生辰、事由）

行三叩首禮。禮成。

參考書目(依作者姓氏排序)

一、古籍經典類

《十三經注疏》台北：藝文印書館，民國 65 年。

《正統道藏》台北：新文豐出版有限公司，民國 84 年。

元好問：《四部叢刊・正編・遺山先生文集》台北：臺灣商務印書館，1979 年。

王先慎著：《韓非子集解》北京：中華書局，1998 年。

許紹龍編校：《三命會通》，卷 1，頁 4。台北：培林出版社。

洪興祖：《楚辭補注》台北：大安出版社，民國 84 年。

張君房編：《雲笈七籤》，自由出版社，無出版年資料。

孫星衍著《尚書古今文注釋》北京：中華書局，1998 年。

葛洪：《抱朴子》台北：中華書局，民國 62 年。

嚴一萍編，陳銘珪著《道教研究資料・長春道教源流考》台北：藝文印書館，民國 63 年。

陶弘景著，曾召南注譯：《新譯養生延命錄》台北：三民書局，2006 年。

劉寶楠著：《論語正義》台北：文史哲出版社，民國 79 年。

鄭玄著：《儀禮鄭注句讀》台北：學海出版社，民國 86 年。

二、專著

王叔岷：《列仙傳校箋》台北：中研院文哲所，民國 84 年。

王明：《太平經合校》北京：中華書局，1979 年。

史蒂芬·阿優諾著，胡因夢譯：《占星、心理學與四元素》心靈工坊文化事業，2008 年 6 月。

李似珍：《靜心之教與養生之道》台北：東大圖書公司，2008 年。

李豐楙：《許遜與薩守堅》台北：學生書局，1997。

余培林：《新譯老子讀本》台北：三民書局，民國 78 年。

余德慧等著：《中國人的幸福觀》台北：張老師出版社，民國 76 年。

吳鎮烽：《陝西金文彙編》西安：三秦出版社，1989 年。

吳毓江撰、孫啟治點校：《墨子校注·非命》中華書局。1993 年。

呂鵬志《道教哲學》台北：文津出版社，2000 年。

杜正勝：《從眉壽到長生》台北：三民書局，2006 年。

屈萬里著：《詩經詮釋》台北：聯經出版社，1998 年。

唐圭璋編：《全金元詞》（北京：中華書局，1979 年）

徐志平編註：《中國古代神話選注》台北：里仁書局，2006 年。

陳秉華等著：《焦點解決諮商的多元應用》張老師文化事業，2006 年 7 月。

陳垣：《南宋初河北新道教考》北京：中華書局，1989 年。
陳垣編纂，陳智超、曾慶瑛校補：《道家金石略》北京：文物出版社，1988 年。
陳垣：《南宋初河北新道教考》北京：中華書局，1985 年。
陳攖寧：《道教養生》，北京：華文，2000 年初版。
張純一：《墨子集解》台北：文史哲出版社，民國 82 年。
張廣保：《金元全真道內丹心性論研究》台北：文津書局，民國 82 年。
游乾桂：《用佛療心》台北：遠流出版事業，2001 年。
程樹德：《論語集釋》北京，中華書局，1990 年。
黃錦鋐注譯：《新譯莊子讀本》台北：三民書局，民國 88 年。
楊伯竣譯注《孟子譯注》台北：源流文化事業出版社，民國 71 年。
郭慶藩輯：《莊子集釋》台北：華正出版社，民國 86 年。
郝勤、楊光文：《道在養生》台北：大展出版社，2003 年 2 刷。
葛兆光：《道教與中國文化》台北：東華書局，民國 78 年。
韓建斌、韓廷傑：《道教與養生》台北：文津，1997 年初版。
鄭志明著：《道教生死學》台北：文津出版社，2006 年。

顧寶田注譯：《新譯老子想爾注》台北：三民書局，民國 91 年。

羅振玉《三代吉金文存》台北：樂天出版社影印，民國 62 年。

蕭登福註譯：《南北斗經今註今譯‧太上說南斗六司延壽度人妙經導讀》台北：行天宮文教基金會編印，1999 年。

三、學位論文

丁婉莉：《葛洪養生思想研究》，高雄師範大學國文所碩士論文，2003 年。

李翠芳：《道教養生思想與老莊之關係——以葛洪《抱朴子內篇》為例》，台南大學國文系，碩士論文，2005 年。

李惠卿：《文化、存在與心靈——以命理詢問者的心理現象為探析》，南華大學生死研究所碩士論文，民國 94 年。

林以斌：《紫微斗數的天人關係研究》，輔仁大學宗教研究所，碩士論文，民國 95 年。

陳宏儒：《命理人世界觀與人生願景之建構》，彰化師範大學輔導與諮商學所，碩士論文，民國 99 年。

曾俊溢：《算命的心理因素與動機研究》中華大學應用數學所，碩士論文，民國 97 年。

溫瑞瀅：《全真七子傳記及其小說化研究》政治大學碩士論文，民國 92 年。

期刊論文

王瑞瑾、王仁堂：〈探究道教和老莊思想的養生哲學〉，《光武學報》第 26 期，民國 92 年 3 月。

李豐楙：〈葛洪養生思想之研究〉，《靜宜學報》第 9 期，1980 年 6 月。

林基興：＜命術的科學人文觀[評王溢嘉《命運的奧義》、施寄青《完全算命手冊》＞，《科學月刊》，28 卷 12 期總號 336，1997 年 12 月。

高國潘：＜唐代敦煌的看相與算命＞，《歷史月刊》27 期 1990 年 4 月。

張晃耀：＜電腦在中國傳統算命系統上之應用＞，《雲林工專學報》，9 期，1990 年 3 月。

莊宏誼：＜太極原理與養生＞輔大宗教研究，第 2 期，民國 89 年 2 月。

楊士毅：＜由庫恩「典範論」與費爾本「任何皆可行」論算命＞，《世界新聞傳播學院人文學報》，3 期，1995 年，7 月。

楊士毅：＜從邏輯經驗論與否證論論算命的科學性、民主性--民間思想的改造＞，《世界新聞傳播學院人文學報》，2 期，1995 年 01 月。

楊映國：＜命理產業與技職教育＞，《中正高工學報》6 期，2007 年 6 月。

趙玉明：＜從紫微斗數說起--算命的社會心理與文化意義＞，《中國論壇》，9 卷 10 期，1980 年 2 月。

郭士賢；張思嘉：＜類比思維的文化心理學意義：以算命行為為例＞，《宗教與民俗醫療學報》，3 期 2006 年 5 月。

鄭志明：〈太平經的養生觀〉，《鵝湖》第 11 期，民國 89 年 5 月。 鄭志明：〈道教生死觀——「不死」的養生觀〉，《歷史月刊》第 139 期，民國 88 年 8 月。

羅正心：＜算命技巧裡的語言表演＞，《中央研究院民族學研究所集刊》，84 期，1998 年 12 月。

羅正心：＜算命與心理輔導＞，《本土心理學研究》，2 期，1993 年 12 月。

國家圖書館出版品預行編目資料

尋道、修道、行道 / 張美櫻　著
-- 初版. -- 臺北市：蘭臺, 2011 面；　公分. --

ISBN　978-986-6231-22-3（平裝）

1. 道教修鍊 2.養生

235　　　　　　　　　　100007482

台灣宗教與社會第一輯 2

道教文化研究論集—尋道、修道、行道

著　　　者：張美櫻
執 行 主 編：張加君
執 行 美 編：林育雯
封 面 設 計：林育雯
出　版　者：蘭臺出版社
地　　　址：台北市中正區開封街一段 20 號 4 樓
電　　　話：(02)2331-1675　傳真：(02)2382-6225
劃 撥 帳 號：18995335
E－mail　：lt5w.lu@msa.hinet.net
網 路 書 店：博客來網路書店　http://www.books.com.tw
Pchome 網路書店　http://store.pchome.com.tw/yesbooks/
總　經　銷：成信文化事業股份有限公司
香港總代理：香港聯合零售有限公司
地　　　址：香港新界大蒲汀麗路 36 號中華商務印刷大樓
C&C　Building, 36, Ting　Lai　Road, Tai Po,New Territories
電　　　話：(852)2150-2100　　傳真：(852)2356-0735
出 版 日 期：2011 年 05 月初版
定　　　價：新臺幣 350 元

ISBN　978-986-6231-22-3

版權所有・翻印必究